studio d B1

Deutsch als Fremdsprache

Kurs- und Übungsbuch mit Zertifikatstraining
Teilband 1

von
Hermann Funk
Christina Kuhn
Silke Demme
Britta Winzer
sowie
Rita Niemann und
Carla Christiany

Phonetik:
Friederike Jin

studio d B1
Deutsch als Fremdsprache,
Kurs- und Übungsbuch | Teilband 1

Herausgegeben von Hermann Funk

Im Auftrag des Verlages erarbeitet von:
Hermann Funk, Christina Kuhn, Silke Demme, Britta Winzer
sowie Rita Niemann und Carla Christiany
Zertifikatstraining und Test: Nelli Mukmenova
Phonetik: Friederike Jin

In Zusammenarbeit mit der Redaktion:
Andrea Finster (verantwortliche Redakteurin) sowie Lisa Dörr,
Gunther Weimann (Projektleitung)

Redaktionelle Mitarbeit: Nicole Abt (Bildredaktion),
Andrea Mackensen (Übungsteil)

Beratende Mitwirkung: Susanne Hausner, München; Andreas Klepp,
Braunschweig; Ester Leibnitz, Frankfurt a. M.; Peter Panes,
Schwäbisch Hall; Hannelore Pistorius, Genf; Doris van de Sand,
München; Ralf Weißer, Prag

Illustrationen: Andreas Terglane
Layoutkonzept: Christoph Schall
Layout: Satzinform, Berlin
Technische Umsetzung: zweiband.media, Berlin
Umschlaggestaltung: Klein & Halm Grafikdesign, Berlin

Weitere Kursmaterialien:
Audio-CD ISBN 978-3-06-020468-7
Vokabeltaschenbuch B1 (Teilband 1 und 2) ISBN 978-3-464-20721-5
Sprachtraining B1 ISBN 978-3-464-20720-8
Video-DVD mit Übungsbooklet B1 ISBN 978-3-464-20817-5
Übungsbooklet im 10er-Paket B1 ISBN 978-3-464-20850-2
Unterrichtsvorbereitung (Print) B1 ISBN 978-3-464-20735-2
Unterrichtsvorbereitung interaktiv B1 ISBN 978-3-464-20750-5

Symbole

Kursraum-CD:

 Hörverstehensübung,
14 CD, Track 14

 Ausspracheübung,
15 CD, Track 15

Lerner-CD (im Buch):

 Hörverstehensübung,

14 Track 14

 Ausspracheübung,
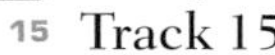
15 Track 15

 Übung zur Automatisierung

 Fokus auf Form
7 Punkt 7 in der Grammatik (Anhang)

www.cornelsen.de

1. Auflage, 3. Druck 2013

Alle Drucke dieser Auflage sind inhaltlich unverändert und können im Unterricht nebeneinander verwendet werden.

Druck: Stürtz GmbH, Würzburg

ISBN 978-3-06-020466-3

 Inhalt gedruckt auf säurefreiem Papier aus nachhaltiger Forstwirtschaft.

studio d – Hinweise zu Ihrem Deutschlehrwerk

Liebe Deutschlernende, liebe Deutschlehrende,

Das Lehrwerk studio d erscheint in zwei Ausgaben: einer dreibändigen und einer fünfbändigen. Sie blättern gerade im dritten Band der dreibändigen Ausgabe. studio d orientiert sich eng an den Niveaustufen A1–B1 des Gemeinsamen europäischen Referenzrahmens und führt Sie zum *Zertifikat Deutsch*. studio d wird Sie beim Deutschlernen im Kurs und zu Hause begleiten. Das Kursbuch mit Übungsteil steht im Zentrum eines multimedialen Lehrwerkverbunds, den wir Ihnen hier kurz vorstellen möchten.

Das Kursbuch und der Übungsteil studio d B1

Das Kursbuch gliedert sich in zehn Einheiten mit thematischer und grammatischer Progression. Der Übungsteil folgt unmittelbar nach jeder Kursbucheinheit und schließt mit einer Überblicksseite „Das kann ich auf Deutsch". Direkt im Anschluss können Sie sich mit dem *Zertifikatstraining* gezielt auf die einzelnen Teile der Prüfung *Zertifikat Deutsch* vorbereiten.
In transparenten Lernsequenzen bietet studio d Ihnen Aufgaben und Übungen für alle Fertigkeiten (Hören, Lesen, Schreiben, Sprechen). Sie werden mit interessanten Themen und Texten in den Alltag der Menschen in den deutschsprachigen Ländern eingeführt und vergleichen ihn mit Ihren eigenen Lebenserfahrungen. Sie lernen entsprechend der Niveaustufe B1, in Alltagssituationen sprachlich zurechtzukommen und einfache gesprochene und geschriebene Texte zu verstehen und zu schreiben. Die Erarbeitung grammatischer Strukturen ist an Themen und Sprachhandlungen gebunden, die Ihren kommunikativen Bedürfnissen entsprechen. Die Art der Präsentation und die Anordnung von Übungen soll entdeckendes Lernen fördern und Ihnen helfen, sprachliche Strukturen zu erkennen, zu verstehen und anzuwenden. Die Lerntipps unterstützen Sie bei der Entwicklung individueller Lernstrategien. In den *Stationen* finden Sie Materialien, mit denen Sie den Lernstoff aus den Einheiten wiederholen, vertiefen und erweitern können. Da viele von Ihnen die deutsche Sprache für berufliche Zwecke erlernen möchten, war es für uns besonders wichtig, einige berufsspezifische Schlüsselqualifikationen in unterschiedlichen Szenarien zu vertiefen.
Der Band schließt mit einem Modelltest, mit dem Sie die Prüfung *Zertifikat Deutsch* simulieren können.
Auf der Audio-CD, die dem Buch beiliegt, finden Sie alle Hörtexte des Übungsteils. So können Sie auch zu Hause Ihr Hörverstehen und Ihre Aussprache trainieren. Im Anhang des Kursbuchs finden Sie außerdem Partnerseiten, eine Übersicht über die Grammatik, eine alphabetische Wörterliste, eine Liste der unregelmäßigen Verben und die Transkripte der Hörtexte, die nicht im Kursbuch abgedruckt sind. Der Lösungsschlüssel liegt dem Buch separat bei.

Die Audio-CDs

Die separat erhältlichen Tonträger für den Kursraum enthalten alle Hörmaterialien des Kursbuchteils. Je mehr Sie mit den Hörmaterialien arbeiten, umso schneller werden Sie Deutsch verstehen, außerdem verbessern Sie auch Ihre Aussprache und Sprechfähigkeit.

Das Video

studio d – das Magazin zum Deutschlernen kann im Unterricht oder zu Hause bearbeitet werden. Das Videomagazin führt Sie durch interessante und unterhaltsame Beiträge, die die Themen des Buches aufgreifen und erweitern. Die Übungen zum Video finden Sie in den Stationen. Weitere Übungen finden Sie im Booklet und auf der CD-ROM *Unterrichtsvorbereitung interaktiv.*

Das Sprachtraining

Umfangreiche Materialien für alle, die noch intensiver im Unterricht oder zu Hause üben möchten.

Das Vokabeltaschenbuch

Hier finden Sie alle neuen Wörter in der Reihenfolge ihres ersten Auftretens.

Wir wünschen Ihnen viel Spaß und Erfolg beim Deutschlernen mit studio d!

Inhalt

Grammatik	Aussprache	Lernen lernen
Wiederholung: Nebensätze, Präteritum	Wortakzent	Wortfelder und Wortfamilien ergänzen
Nebensätze mit *während* Präteritum der unregelmäßigen Verben Nominalisierung mit *zum* Wdh.: Präteritum, Sätze mit *wenn …, (dann)*	das *z*	Lernen mit Rhythmus und Bewegung
Konjunktiv II (Präsens) der Modalverben Konjunktionen: *darum, deshalb, deswegen* graduierende Adverbien: *ein bisschen, sehr, ziemlich, besonders* Wdh.: Nebensätze mit *weil*, Imperativ	höfliche Intonation	Dialogtraining mit Rollenkarten
Infinitiv mit *zu* Adjektive mit *un-* und *-los* Wdh.: Nebensätze mit *dass*	lange und kurze Vokale	Wörter in Gegensatzpaaren lernen
Adjektive vor dem Nomen Verkleinerungsformen: *Haus – Häuschen* Wdh.: Adjektivdeklination ohne Artikel (Nominativ und Akkusativ)	Adjektivendungen üben und hören	Adjektivendungen durch Nachsprechen lernen
Konjunktiv II (Präsens): *wäre, würde, hätte, könnte* Wdh.: Relativsätze	Laute hören: *a – ä, u – ü, o – ö*	Wortschatz systematisch: Kategorien bilden

	Themen und Texte	Sprachhandlungen
6 Klima und Umwelt	Unwetter oder Klimakatastrophe? UN-Klimareport Wetter Texte: Zeitungsartikel Wortfelder: Umwelt und Klima, Wetter (Wdh.)	über Klima und Wetter sprechen Umwelt und Umweltprobleme beschreiben Prognosen machen Gründe nennen Widersprüche im Satz ausdrücken Bedingungen und Konsequenzen nennen
7 Peinlich? – Peinlich! 	Pleiten, Pech und Pannen „Knigge“ interkulturell Konflikte Texte: Info-Broschüre, Zeitschrift: *Andere Länder – andere Sitten* Wortfelder: Probleme, Körpersprache, Geräusche	eine Situation kommentieren über Verhaltensregeln und Gesten sprechen Konflikte erkennen, verstehen und lösen
8 Generationen	Kindheit, Jugend, Alter Wohnformen im Alter Kinderträume Texte: *Die blauen und die grauen Tage* (Roman) Wortfelder: Lebensabschnitte, Familienbeziehungen	über Lebensabschnitte sprechen einen literarischen Text lesen und verstehen Konflikte diskutieren Vermutungen äußern
9 Migration 	D-A-CH als Aus- und Einwanderungsländer Migrationsgeschichten Texte: Filmbeschreibung: *Solino*, Interview, Rezept, Statistik, ausgewanderte Wörter Wortfeld: Migration	über Migration und Fremdheit sprechen über Probleme, Ängste und Hoffnungen sprechen
10 Europa: Politik und mehr 	Wir sind Europa! die Europäische Union der 50. Geburtstag der EU – das kulinarische Europa Texte: Europa-Quiz, Pro und Contra, Rezept Wortfelder: EU-Institutionen, Europa	über Europa und Politik sprechen europäische Institutionen kennen lernen und beschreiben Alternativen und Gegensätze im Satz ausdrücken
Station 2	Training für den Beruf: Smalltalk; Wörter-Spiele-Training,	
Test: Zertifikat Deutsch		
Anhang	Partnerseiten, Grammatik, Alphabetische Wörterliste,	

Grammatik	Aussprache	Lernen lernen
wegen + Genitiv Futur mit *werden* + Infinitiv Doppelkonjunktionen: *je …, desto… / nicht …, sondern …* Wdh.: Zeitangaben	Kontrastakzente	Wörter aus dem Kontext verstehen mit einer Textgrafik arbeiten
Partizip I Nebensätze mit *obwohl* Doppelkonjunktionen: *nicht nur, sondern auch / weder … noch* Wdh.: Ratschläge mit *wenn* und *sollte*	Konsonantenverbindungen	Redemittel zur Handlungsregulierung sammeln
Vermutungen: *könnte* Plusquamperfekt Nebensätze mit *seit* Possessivartikel im Genitiv Wdh.: Präteritum	Pausen beim Lesen machen Wdh.: das *ch*	literarisches Lesen eine Diskussion moderieren eine Grammatiktabelle selbst machen
das Verb *lassen* Passiversatzform *man* Relativpronomen im Genitiv Wdh.: Passiv	das *r* und das *l*	Informationen einer Grafik auswerten
Fragewörter: *wofür, woran, worüber, wovon, womit* *brauchen* + *zu* + Infinitiv (Verneinung) Gegensätze: *trotzdem* Doppelkonjunktion: *entweder … oder …* Nomen mit *-keit* oder *-heit* Wdh.: Verben mit Präpositionen		Informationen in einer Tabelle sammeln

Grammatik und Evaluation, Videostation 2, Magazin: Ankunft

Unregelmäßige Verben, Verben mit Präpositionen, Hörtexte

Start B1

1 Themen und Personen

1 **Sich erinnern. Fotos aus studio d A2.**
An wen oder was erinnern Sie sich?
Was tun und sagen die Leute?
Wie sehen sie aus? Beschreiben Sie.

a b c

Redemittel

über Fotos und Erinnerungen sprechen

Wo ist das? Wer war das?	Das Foto a/b/… zeigt …
Weißt du noch, damals in …?	Ich erinnere mich (nicht) an …
Erinnerst du dich an …?	Daran erinnere ich mich nicht. / Klar. Das …

2 **Sich kennen lernen: Fünf Leute – fünf Minuten – fünf Fragen.**
Erinnern Sie sich an das *„Speed-dating"*? Bilden Sie Gruppen mit fünf Personen. Jede/r stellt jeder Person in der Gruppe fünf Fragen.

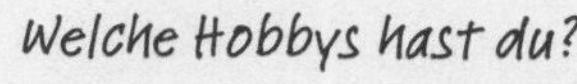

3 **Informationen weitergeben.** Berichten Sie im Kurs.

Ich habe gehört, dass …

Teresa hat mir erzählt, dass …

Ich finde interessant, dass …

Hier wiederholen Sie

- Fragen stellen und beantworten
- über Fotos und Erinnerungen sprechen
- eine Geschichte nacherzählen
- über sich selbst erzählen und schreiben
- Wortfelder und Wortfamilien ergänzen
- Grammatik: Nebensätze, Präteritum
- Wortakzent

d

e

f

g

4 Wörter sortieren. Wählen Sie eine Grafik aus und ergänzen Sie sie. Auf den Fotos finden Sie noch andere Wortfelder. Wählen Sie aus und sammeln Sie Wörter.

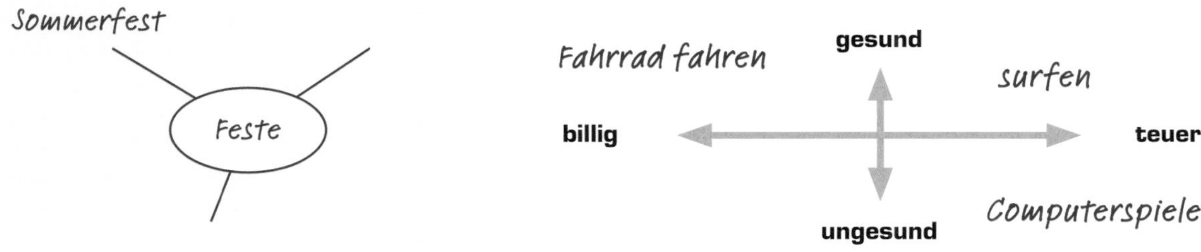

5 Wortfamilien ergänzen. Finden Sie mindestens fünf Wörter zu jeder Familie.

die Kleinstadt

arbeitslos

a) -stadt- b) -arbeit- c) -sprache- d) -spiel-

2 Geschichten lesen und erzählen – sich erinnern

1 **Eine Geschichte lesen.** **Lesen Sie den Text und überlegen Sie: Warum konnten die Leute Norbert an den Brief erinnern?**

Die Idee

Der Brief musste vor 12 Uhr abgeschickt werden, aber Cora konnte nicht mehr zur Post fahren, weil es schon spät war und sie zur Arbeit musste. Es gab nur eine Möglichkeit: Ihr Mann Norbert musste den Brief mitnehmen. Aber Cora wusste, dass er sehr vergesslich war. Auf einem Zettel notierte sie: „Nicht vergessen: Brief zur Post bringen!“ Dann hatte sie noch eine Idee …

Norbert ging kurz vor neun aus dem Haus. Er hatte den Brief in die Tasche gesteckt. In der U-Bahn tippte ihm ein junger Mann auf die Schulter: „Vergessen Sie nicht, dass der Brief zur Post muss!“ Norbert zuckte zusammen: Woher konnte der Mann das wissen? An der Ampel auf dem Weg ins Büro musste er warten. „Entschuldigen Sie, bitte denken Sie daran, dass Sie den Brief für Ihre Frau zur Post bringen sollen.“ Ja, fast hätte er es vergessen, aber wie konnte die Frau wissen, dass …? Er machte einen kurzen Umweg zur Post. Zwei Euro und zwanzig für einen Auslandsbrief – teuer!, dachte er. Zwanzig Minuten später war er im Büro. Im Fahrstuhl fragte ihn eine Kollegin: „Haben Sie den Brief schon zur Post gebracht?“ Er war entsetzt. Wie konnten die Leute nur wissen …? Im Büro hängte er seinen Mantel an die Tür und setzte sich an seinen Schreibtisch. Plötzlich war alles klar …

2 **Eine Geschichte zu zweit nacherzählen**

a) Ergänzen Sie die Grafik mit wichtigen Wörtern und Ausdrücken.

Problem: Brief musste zur Post / keine Zeit.	→	Norbert war vergesslich …
Idee: Zettel …	→	Norbert ging aus …
…	→	…

b) Erzählen Sie die Geschichte gemeinsam. Der Sprecher wechselt nach jedem Satz.

c) Wechseln Sie die Perspektive und schreiben Sie die Geschichte neu: Der Mann erzählt sie seinen Freunden. Die Frau erzählt sie ihren Freundinnen.

3 **Urlaubserzählungen.** **Hören Sie den Dialog und vergleichen Sie mit den Zeichnungen. Erzählen Sie, wie es wirklich war.**

2

- ■ Grüß dich, Simone, wie war's denn im Urlaub?
- ◆ Fantastisch. Das Hotel war ganz neu und die Leute sehr nett.
- ■ Wie schön, hier hast du nichts verpasst. Das Wetter war einfach furchtbar.
- ◆ Wir hatten tolles Wetter. Die ganze Zeit.
- ■ Was habt ihr denn gemacht?
- ◆ Im Hotel gab es eine klasse Disko, da war es nie langweilig, wir waren jeden Tag am Strand und haben jeden Abend getanzt.
- ◆ Und wie war das Meer?
- ■ Super, das Hotel war nicht weit vom Strand und das Wasser war schön warm.
- ◆ Das klingt wirklich gut. Gib mir mal die Adresse, da fahren wir nächstes Jahr auch hin.

4 **Wiederholung Wortakzent**

a) Hören Sie die Wörter und markieren Sie den Wortakzent.

3

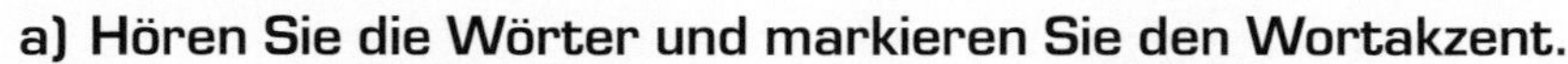

der Urlaub – das Hotel – klasse – verpasst – fantastisch – furchtbar – die Disko – langweilig – super – die Adresse

b) Hören Sie die Wortgruppen und sprechen Sie nach.

4

nichts verpasst – einfach furchtbar – tolles Wetter – die ganze Zeit – eine klasse Disko – nie langweilig – jeden Tag am Strand – jeden Abend getanzt

c) Lesen Sie den Dialog laut. Achten Sie auf die Betonung.

5 **Grammatikbegriffe (A2).** **Erinnern Sie sich? Ordnen Sie die Sätze den Begriffen zu.**

Ich interessiere mich für Politik.	1	a	Zeitadverb am Satzanfang
Das Bild gefällt mir nicht.	2	b	Präteritum Passiv
Ich habe gefragt, ob du morgen Zeit hast.	3	c	Relativsatz mit Präposition
Durftest du mit 15 allein ausgehen?	4	d	reflexive Verben mit Präpositionen
Damals gab es hier einen Park.	5	e	Modalverb im Präteritum
Ken schenkt seiner Freundin einen Ring.	6	f	Personalpronomen im Dativ
Der Freund, mit dem ich studiert habe, arbeitet jetzt bei Bosch.	7	g	Verb mit Dativ- und Akkusativergänzung
Die erste Schokolade wurde in England produziert.	8	h	indirekte Ja/Nein-Frage

6 **Meine letzten Ferien.** **Schreiben oder erzählen Sie.**

– eine Person, an die ich mich gern erinnere
– ein Restaurant / ein Museum, in das ich gern gegangen bin
– ein Weg, den ich gern gegangen bin
– etwas, was ich sehr gern getan habe
– etwas, was mir aufgefallen ist

1 Zeitpunkte

1 Zeitgefühl – gefühlte Zeit

1 Ü 1–2 **Zeit sehen.** Wählen Sie ein Foto aus und notieren Sie, was Ihnen dazu zum Thema Zeit einfällt. Die Wörter helfen Ihnen. Stellen Sie Ihr Foto im Kurs vor.

Redemittel

über ein Bild sprechen

Ich habe Foto (a) gewählt, weil ...
Das Bild (a) zeigt ...
Für mich bedeutet Bild (a), dass ...
Wenn ich Bild ... sehe, denke ich an ...

Hier lernen Sie

- über Zeit und Zeitgefühl sprechen
- Informationen kommentieren
- über deutsche Geschichte sprechen
- Nebensätze mit *während*
- Präteritum der unregelmäßigen Verben
- Nominalisierung mit *zum*
- das *z*
- Wdh.: Präteritum; *wenn …, (dann)*

2 Zeit fühlen

5

a) „Wann vergeht für Sie die Zeit langsam, wann schnell?" Hören Sie und ordnen Sie die Antworten zu.

1. Die Zeit vergeht schnell, wenn ich im Beruf Stress habe.
2. Wenn ich tanzen gehe, vergeht die Zeit schnell.
3. Wenn ich auf den Bus warte, vergeht die Zeit langsam.
4. Wenn ich Hausarbeit machen muss, vergeht die Zeit langsam.

a Ruth Eßer, 43 Lehrerin

b Martin Döpel, 29 Webdesigner

b) Und Sie? Wann dauert etwas lange, wann vergeht die Zeit schnell?

Immer wenn ich …, (dann) … / Wenn ich …

3 Die längsten fünf Minuten in meinem Leben

Ü3

Ich-Texte schreiben

Meine längsten fünf Minuten waren …
Ich erinnere mich …
Als ich …

4 Zeit lyrisch

6

a) Hören Sie das Gedicht von Goethe und lesen Sie leise mit.

Hat alles seine Zeit
Das Nahe wird weit
Das Warme wird kalt
Der Junge wird alt
Das Kalte wird warm
Der Reiche wird arm
Der Narre gescheit
Alles zu seiner Zeit.
J. W. v. Goethe

b) Welcher Satz passt zu welcher Zeile?

1. Während wir reden, wird das Essen kalt. – 2. Für alles im Leben gibt es einen richtigen Zeitpunkt. – 3. Jeder Mensch lernt jeden Tag etwas Neues. – 4. Am Ende des Lebens sind alle Menschen arm, auch wenn sie vorher reich waren. – 5. Eis schmilzt in der Sonne. – 6. Menschen werden älter. – 7. Was heute sehr wichtig ist, kann morgen unwichtig sein.

c) Lernen Sie das Gedicht auswendig und präsentieren Sie es im Kurs.

2 Wo bleibt die Zeit?

Wozu brauchen wir unsere Zeit?

Ü4–5

a) **Lesen Sie den Text und ergänzen Sie die Grafik mit den Informationen.**

ABGERECHNET Was machen wir eigentlich all die Jahre?

Wir haben es immer gewusst – die meiste Zeit unseres Lebens schlafen wir: Mehr als 24 Jahre liegt der Deutsche im Bett. Auch das haben wir geahnt: Circa sieben Jahre verwenden wir für die Arbeit. Neu ist, dass wir mit fünf Jahren und sechs Monaten ein halbes Jahr länger fernsehen, als wir zum Essen brauchen. Aber das ist immer noch besser als die zwei Jahre und zwei Monate, die wir für das Kochen verwenden.

Auch dem Liebling der Deutschen wird viel Zeit geschenkt – zwei Jahre und sechs Monate sitzen wir in unserem Leben durchschnittlich in einem Auto, aber sechs Monate verbringen wir im Stau. Deutlich weniger Zeit bekommen unsere Kinder – nur neun Monate unseres Lebens spielen wir mit ihnen. Dieselbe Zeit brauchen wir auch zum Waschen und Bügeln oder für den Weg zur Arbeit. Selbst das Putzen der Wohnung dauert mit 16 Monaten deutlich länger.

Die Arbeitspausen dauern acht Wochen und zum Küssen brauchen wir zwei Wochen. Rund sechs Monate sitzen wir auf der Toilette – genug Zeit zum Lesen und zum Fragen, ob Wissenschaftler eigentlich zu viel Zeit haben. (nach: Geo-Wissen, Nr. 36/05)

b) **Welche Informationen überraschen Sie?**

Redemittel

neue Informationen kommentieren

Ich finde den Artikel (nicht) interessant, weil …
Mich wundert, dass … / Mich überrascht, dass …
Ich hätte nicht gedacht, dass …
Es war klar, dass …

Partnerinterviews. Wie viel Zeit brauchen Sie täglich zum …? Vergleichen Sie.

Ü6–7

Wie lange
- arbeitest du?
- siehst du fern?
- schläfst du?
- …

Wie viel Zeit brauchst du zum
- Waschen?
- Kochen?
- …

7 Ü8

3 Das *z*. Hören Sie und sprechen Sie nach.

Konzentration auf das z

Zeit zum Tanzen
Zeit zum Witzeerzählen
Zeit zum Putzen, keine Zeit zum Zärtlichsein

6.3

4 Nominalisierungen mit *zum*. Fragen und antworten Sie. Ergänzen Sie dann drei eigene Beispiele.

Was brauchen Sie zum	Lesen?	Meine Brille und ein Buch.
	Schreiben?	Einen Kugelschreiber und Papier.
	Lernen?	Mein Kursbuch und viel Ruhe.
	Ausruhen?	Mindestens 14 Tage Urlaub!
	Schlafen?	Mein Bett und leise Musik.
	Arbeiten?	Meinen Computer und das Internet.
	…	…

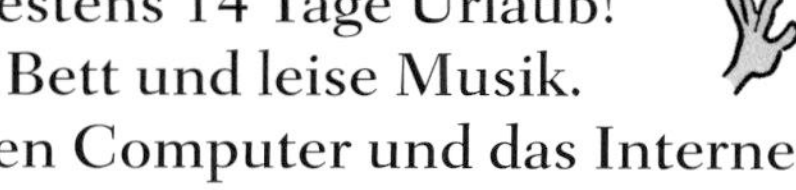

5 Wunschzeit. Wofür hätten Sie gern mehr Zeit?

■ Ich hätte gern mehr Zeit zum … Und Sie?
◆ Ich wünsche mir mehr Zeit zum … Und du?

1 Ü9

6 Sätze mit *während*

a) Sarah macht alles gleichzeitig. Lesen und vergleichen Sie.

Sarah	macht	Notizen, während sie telefoniert.
Während Sarah telefoniert,	macht	sie Notizen.
Sie	trinkt	Kaffee, während sie die Blumen gießt.

b) Was kann man gleichzeitig tun? Schreiben Sie drei Sätze wie in den Beispielen.

Während sie bügelt, sieht sie fern.

Während sie den Abwasch macht, bringt er die Kinder ins Bett.

3 Zeitgeschichte

1 **Das Brandenburger Tor im Zentrum der deutschen Geschichte.**
Welche Zeilen im Text passen zu welchem Foto?

Das Brandenburger Tor

Das Brandenburger Tor steht im Zentrum Berlins und ist das wichtigste Wahrzeichen der Stadt. Der preußische König Friedrich Wilhelm II. baute es 1788 bis 1791 als Stadttor an der Straße nach Brandenburg.

Am 30. Januar 1933 zogen die Nationalsozialisten nach ihrer Machtübernahme durch das Brandenburger Tor.

Im Zweiten Weltkrieg, der am 1. September 1939 mit dem Überfall Deutschlands auf Polen begann, wurde das Brandenburger Tor stark beschädigt. Der Krieg endete am 8. Mai 1945. Deutschland wurde besiegt, befreit und geteilt. 1949 wurden die beiden deutschen Staaten, die Bundesrepublik Deutschland und die Deutsche Demokratische Republik (DDR) gegründet. Die Großstadt Berlin wurde geteilt und Ost-Berlin wurde Hauptstadt der DDR.

Am 13. August 1961 baute die DDR-Regierung eine Mauer mitten durch Berlin. Die Ost-Berliner durften nicht mehr nach West-Berlin und in die Bundesrepublik reisen. Das Brandenburger Tor stand direkt auf der Grenze zwischen Ost- und West-Berlin und wurde zum Symbol für den Kalten Krieg.

Am 9. November 1989 fiel die Mauer und hunderttausende Berliner feierten. Das Brandenburger Tor wurde wieder geöffnet. 1990 wurden die beiden deutschen Staaten wiedervereinigt.

Heute ist das Brandenburger Tor der Ort vieler Feste und Partys. In den 90er Jahren feierten zum ersten Mal mehr als eine Million Technofans die Loveparade und 2006, zur Fußballweltmeisterschaft, trafen sich hier die Fußballfans. Aber das Silvesterfeuerwerk ist jedes Jahr der Höhepunkt der Partys vor dem Brandenburger Tor.

2 Aussagen zur Geschichte des Brandenburger Tors

a) Zwei Aussagen sind falsch. Korrigieren Sie sie.

1. Das Brandenburger Tor war früher ein Stadttor.
2. Die Nationalsozialisten feierten 1933 ihre Machtübernahme am Brandenburger Tor.
3. Während der Teilung Deutschlands war Berlin die Hauptstadt der BRD.
4. Nach dem Bau der Mauer 1961 durften die West-Berliner nicht mehr in die DDR und in die BRD reisen.
5. Zu Silvester gibt es immer ein Feuerwerk am Brandenburger Tor.
6. 2006 trafen sich die Fußballfans vor dem Brandenburger Tor.

b) Lesen Sie die Texte noch einmal und schreiben Sie die Sätze weiter.

1. König Friedrich Wilhelm II. *baute das* ......
2. Die Nationalsozialisten ......
3. Am Ende des Krieges ......
4. 1949 ......
5. Ost-Berlin ......
6. 1990 ......
7. Zur Fußballweltmeisterschaft 2006 ......

3 Wichtige Ereignisse der deutschen Geschichte. **Machen Sie Notizen und berichten Sie im Kurs.**

30. Januar 1933: *Machtübernahme der* ......

1. September 1939: ......

8. Mai 1945: ......

13. August 1961: ......

9. November 1989: ......

4 Der 9. November 1989

a) Viele Menschen in Deutschland können sich erinnern, wo sie an diesem Tag waren und was sie getan haben. Hören Sie die Interviews und ergänzen Sie die Tabelle.

	Wo?	Was getan?
Interview 1	......	......

b) Und Sie? An welche historischen Ereignisse erinnern Sie sich? Berichten Sie im Kurs.

11. September 2001

Redemittel

Ich war gerade …, als …
Als …, war ich …
Ich erinnere mich sehr gut an …
… war für mich ein besonderer Tag, weil …

12

4 Geschichtstexte lesen. Vergangenheit

1 **Das Präteritum der regelmäßigen und unregelmäßigen Verben.** Markieren Sie die Präteritumformen im Text auf Seite 16 und schreiben Sie sie in die Tabelle.

Infinitiv	Präteritum regelmäßiges Verb	Präteritum unregelmäßiges Verb
stehen		stand
	baute	

2 **Unregelmäßige Verben im Wörterbuch.** Markieren Sie die Präteritumformen.

spre·chen; *spricht, sprach, hat gesprochen;* **1** die Fähigkeit haben, aus einzelnen Lauten Wörter od. Sätze zu bilden ‹noch ni... nicht richti...

es·sen; *isst, aß, hat gegessen;* **1** ***(etw.) e.*** Nahrung in den Mund nehmen (kauen) u. schlucken ⟷ trinken ‹Brot, Fleisch, Ge-

se|hen; du siehst; er/sie sieht; er sah; gesehen; sieh[e]!; sieh[e] da!; ich habe gesehen, *aber* ich habe es kommen sehen, *selten* gesehen; ich ... ihn nur

le|sen; du liest; er liest; er las; gelesen; lies! (*Abk.* l); lesen lernen, *aber:* beim Lesen lernen

tri̤n|ken; du trinkst; er trank; getrunken; trink[e]!

schrei·ben; *schrieb, hat geschrieben;* **1** ***(etw.) s.*** (*bes* mit e-m Bleistift, mit e-m Kugelschreiber usw od. mit e-r Maschine

ge|hen
Die Formen lauten du gehst; er/sie/es ging; gegangen; du ...

3 **Unregelmäßige Verben lernen.**
9

Hören Sie zehn unregelmäßige Verben und sprechen Sie mit. Lernen Sie die Verben im gleichen Rhythmus.

Lerntipp

Unregelmäßige Verben immer mit Rhythmus lernen:

Präsens – Präteritum – Partizip II
gehen – ging – gegangen

4 **Unregelmäßige Verben üben**
Ü 10-12

a) Markieren Sie zehn Verben, die Sie wichtig finden, in der Liste der unregelmäßigen Verben auf Seite 237.

b) Schreiben Sie die Verben auf Karteikarten und üben Sie mit Ihrem Partner / Ihrer Partnerin.

fliegen

fliegen
flog
geflogen

Die Maschine flog sehr hoch.
Ich bin am Sonntag nach München geflogen.

5 **Lernen mit Bewegung.** Üben Sie die unregelmäßigen Verben im Gehen, mit Klatschen oder mit Kopfnicken. Was funktioniert bei Ihnen am besten?

5 Nachdenken über die Zeit

1 Momo – eine Szene aus einem Hörspiel verstehen

Der Roman „Momo“ war Anfang der 80er Jahre ein Bestseller. Der Autor Michael Ende beschreibt in dem Buch, wie das Mädchen Momo gegen die „grauen Herren“ kämpft, die den Menschen die Zeit stehlen. Das Buch wurde in mehr als 20 Sprachen übersetzt, es ist verfilmt und auch zu einem Hörspiel verarbeitet worden.

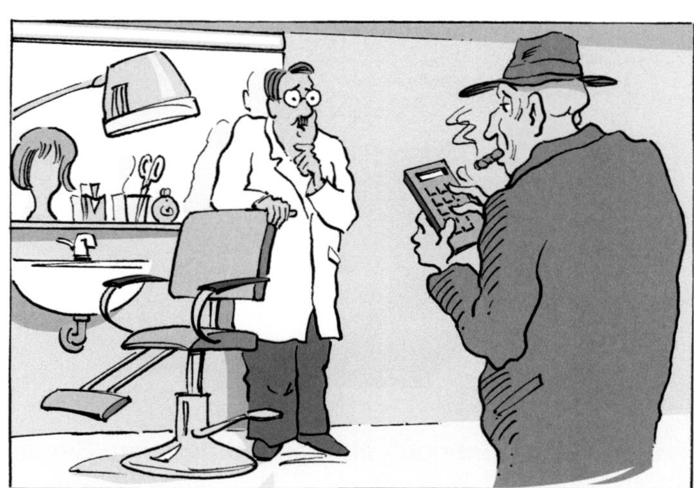

Mein Leben geht so dahin mit Scherengeklapper und Geschwätz und Seifenschaum. Was hab' ich eigentlich von meinem Dasein? Für das richtige Leben lässt mir meine Arbeit keine Zeit.

a) Sehen Sie die Zeichnung an. Worüber sprechen die Männer?

10 **b) Hören Sie den ersten Teil des Hörspiels. Was glauben Sie, was ist das „richtige Leben“?**

11 **c) Lesen Sie den Text, hören Sie Teil 2 und beantworten Sie die Frage.**

Der graue Herr rechnet Herrn Fusi auf dem Spiegel vor, dass dieser schon seine ganze Zeit bis auf die letzte Sekunde verbraucht hat. Zum Schlafen, Lesen, für Freunde, für seine Mutter und andere „unnütze“ Dinge. Jetzt hat er keine Zeit mehr für das „richtige Leben“. Deshalb macht der graue Herr ihm ein Angebot. Was für ein Angebot ist das?

12 **d) Lesen Sie die Slogans für das Zeitsparen. Welche haben Sie gehört?**

1. ☐ Die Zeiten ändern sich.
2. ☐ Zeit ist Geld!
3. ☐ Mach mehr aus deinem Leben – spare Zeit.
4. ☐ Spare in der Zeit, so hast du in der Not.
5. ☐ Zeitsparern gehört die Zukunft!
6. ☐ Alles zu seiner Zeit.

13 **2 Zeit und Veränderung. Lesen und hören Sie die Geschichte von Herrn Keuner. Diskutieren Sie die Fragen.**

Das Wiedersehen

Ein Mann, der Herrn K. lange nicht gesehen hatte, begrüßte ihn mit den Worten: „Sie haben sich gar nicht verändert.“ „Oh!“, sagte Herr K. und erbleichte.

Bertolt Brecht, „Nachdenken über die Zeit“, aus: Gesammelte Werke, Suhrkamp Verlag, 1996

1. „Sie haben sich gar nicht verändert.“ – Wie reagiert Herr K.? Warum?
2. Sich verändern – sich nicht verändern: Was ist für Sie positiv, was ist negativ?

Übungen 1

1 Zeit hören

2

a) Hören Sie die Toncollage. Welche Situation passt zu welchem Foto? Ordnen Sie zu.

a

b

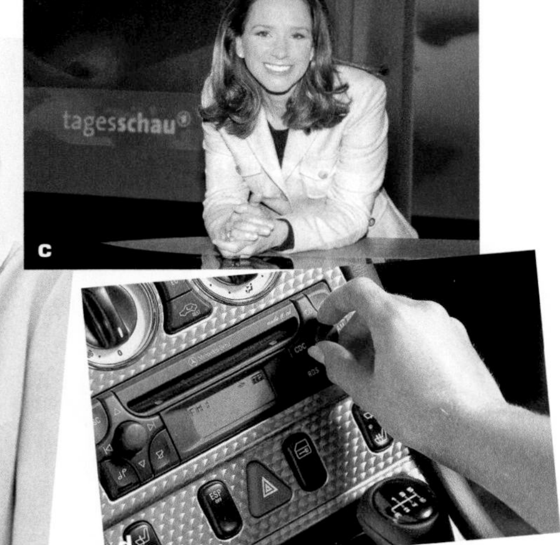

c
d

b) Hören Sie noch einmal und notieren Sie die Uhrzeiten zu den Situationen.

b Situation 1 .... ▢ Situation 3 ....

▢ Situation 2 .... ▢ Situation 4 ....

2 „Zeit" in Wörtern. Finden Sie mindestens fünf Beispiele. Arbeiten Sie mit dem Wörterbuch.

der Zeitplan, ...

der Teil
die Schrift   der Plan
der Punkt   **die Zeit**   das Gefühl
frei   halb
hoch

3 Zeit für mich. Wofür hätten Sie gern mehr Zeit? Finden Sie zu jedem Buchstaben eine Tätigkeit.

....	Z	....		....	M	....
....	E	....		....	I	....
....	I	....	für	*BÜ*	C	*HER LESEN*
TEE	T	*RINKEN*		....	H	....

15 Montag — *Einwohnermeldeamt* (durchgestrichen); *SCHWIMMEN GEHEN :-)*
16 Dienstag — *15.15 Termin mit Frau Klee*
17 Mittwoch — *Oma im Krankenhaus besuchen*
18 Donnerstag — *9.30 Arzttermin*; *BUCH LESEN!*; *einkaufen* (durchgestrichen)
19 Freitag — *Konferenz*
20 Samstag — *Auto waschen* (durchgestrichen); *TEE TRINKEN!!!*
Sonntag 21

OKTOBER 2007 42. WOCHE

4 Augenblicke bei Männern und Frauen. **Lesen Sie den Text und korrigieren Sie die Aussagen.**

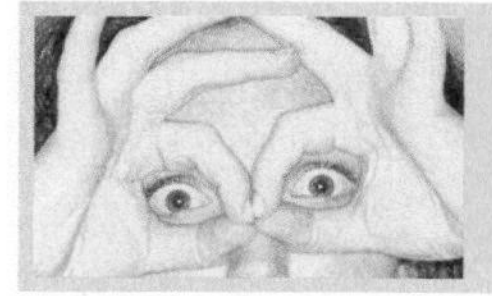

UMFRAGE ERGIBT *Männer sehen in ihrem Leben sechs Monate lang Frauen hinterher, Frauen Männern aber nur vier Wochen.*

Eine Untersuchung von englischen Wissenschaftlern zeigt, was die meisten Frauen schon immer wussten. Ein Mann sieht in seinem Leben durchschnittlich sechs Monate lang Frauen hinterher. Frauen sehen Männern im Schnitt nur insgesamt vier Wochen lang hinterher. Das männliche Auge ist täglich ca. 16 Minuten auf bis zu acht Frauen fixiert. „Sie" sieht in dieser Zeit nur zwei Männern für je 90 Sekunden hinterher.

Ziele der männlichen Blicke sind Brust, Beine und Po. Augenkontakt? Nein, den suchen nur die Frauen, sie sehen Männern zuerst in die Augen. Kurz danach sieht aber auch „sie" auf den Po.

Lieblingsorte zum Hinterhersehen sind Restaurants, Bars und Diskos, aber auch der Supermarkt, Busse und Bahnen.

(aus: Bild am Sonntag, 29.10.2005)

1. Frauen sehen Männern länger hinterher als Männer Frauen.

....

2. Ein Mann sieht jeden Tag ca. 16 Frauen an.

....

3. Frauen sehen am Tag durchschnittlich neun Männern hinterher.

....

4. Frauen sehen Männern zuerst auf den Po.

....

5. Männer und Frauen sehen sich nur in der Disko an.

....

5 **Alles braucht seine Zeit.** **Was dauert wie lange? Ordnen Sie zu.**

die Sommerferien in Deutschland	1	a	22 Monate
das Oktoberfest	2	b	90 Minuten
ein Fußballspiel	3	c	ein bis sieben Tage
die Schwangerschaft eines Elefanten	4	d	drei bis vier Monate
der Winterschlaf eines Igels	5	e	sechs Wochen
das Leben einer Eintagsfliege	6	f	achtzehn Tage

(Beispiel: 1 – e)

6 **Textkaraoke.** **Hören Sie und sprechen Sie die 👄-Rolle im Dialog.**

3

👄 Hallo, schön dich zu sehen!
👂 …
👄 Was denn, hast du nicht mal Zeit für einen Kaffee?
👂 …
👄 Ja, wann denn? So gegen zwölf?
👂 …
👄 Na wie immer, im Café Einstein.
👂 …
👄 Ich ruf dich an, wenn etwas dazwischen kommt.
👂 …

7 **Zeit interkulturell**

a) **Wann ist bei Familie Güler Zeit zum …? Schreiben Sie Sätze wie im Beispiel.**

Frau Güler meint, 19 Uhr ist für Kinder eine gute Zeit zum Schlafengehen.

b) **Was machen Sie wann? Schreiben Sie vier Sätze.**

Bei uns in Argentinien ist 22 Uhr eine gute Zeit zum Abendessen.

Miguel Martinez, Argentinien

Für mich …
Ich finde …
Zeit zum Lernen, Schlafen, Ausgehen, Einkaufen, Fernsehen, Lesen …

4

8 Wörter mit *z*

a) Markieren Sie den Wortakzent. Hören und kontrollieren Sie. Lesen Sie die Wörter laut.

das Zeitgefühl – der Zeitpunkt – die Freizeit – die Lebenszeit – der Zeitdruck – die Arbeitszeit – die Wartezeit – der Zeitplan – zeitlos

b) Welches Wort hören Sie? Kreuzen Sie an.

1. ☐ Zeit ☐ seit
2. ☐ Zoo ☐ so
3. ☐ Zehen ☐ sehen
4. ☐ zieh ☐ sieh
5. ☐ zelten ☐ selten
6. ☐ Zeh ☐ See

c) *z* oder *s*? Hören und ergänzen Sie.

1. .....u.....ammen .....ein
2. .....u viel
3. .....üß
4. .....icher
5. .....u Hau.....e
6. redu.....ieren
7. .....urück
8. .....ahlen
9. organi.....ieren

9 Sätze mit *während*

a) Markieren Sie die Verben im Hauptsatz.

1. Während Nina die Zeitung liest, streichelt sie die Katze.
2. Während sie duscht, singt sie ihr Lieblingslied.
3. Sie telefoniert mit einer Freundin, während sie die Wohnung putzt.
4. Während sie kocht, kommt ihre Mutter.

b) Was geht gleichzeitig? Was nicht? Schreiben Sie Sätze.

Während ich	Rad fahren telefonieren schlafen fernsehen wandern lernen duschen Zeitung lesen	,	lesen träumen kochen sprechen singen frühstücken Musik hören	(nicht).

Während ich Rad fahre, lese ich nicht.

10 Unregelmäßige Verben. Ergänzen Sie die Tabelle.

Grammatik

Infinitiv	Präteritum	Partizip II
sitzen	saß	gesessen
sehen		
finden		
bleiben		
schlafen		
entscheiden		
schreiben		
beginnen		
bekommen		
liegen		
ziehen		
werden		

11 Historische Orte in Berlin. Lesen Sie den Text. Ergänzen Sie die Verben im Präteritum.

Berlin-Mitte

Der Pariser Platz

Friedrich Wilhelm I (1 bauen) den Platz zwischen 1732 und 1734. Der Pariser Platz (2 bekommen) seinen Namen im Jahr 1814, als Preußen Napoleon besiegte.

Der Platz hat eine quadratische Form und man (3 bauen) hier vor allem Palais. Oft (4 finden) hier auch politische Demonstrationen statt. Der Platz (5 bekommen) immer mehr politische Bedeutung. Auch bekannte Künstler (6 wohnen) hier, wie der Maler Max Liebermann und der Dichter Achim von Arnim.

Im Zweiten Weltkrieg (7 werden) der Pariser Platz stark zerstört. In den Jahren 1961 bis 1989 (8 liegen) er genau auf dem Grenzstreifen und man (9 dürfen) ihn nicht betreten.

Erst nach dem Fall der Mauer (10 beginnen) man mit dem Wiederaufbau des Platzes. Die Akademie der Künste, die französische Botschaft und das Hotel Adlon (11 ziehen) wieder auf den Pariser Platz zurück. Das Adlon (12 sein) schon vor hundert Jahren ein weltbekanntes Luxushotel.

1. baute
2. ....
3. ....
4. ....
5. ....
6. ....
7. ....
8. ....
9. ....
10. ....
11. ....
12. ....

12 Kuriose Meldungen

a) Lesen Sie die Kurzmeldungen. Welche Überschrift passt zu welchem Text? Ordnen Sie zu.

1. ▢ Notruf 110
2. ▢ Wer schafft den Rekord?
3. ▢ Sonntagsausflug

a

London – Ein Lehrer aus den USA brach am Mittwoch im britischen Blackpool den Weltrekord im Dauerfahren auf der Achterbahn. In 28 Tagen schaffte Richard Rodriguez aus Miami mehr als 15 600 Kilometer. Doch weil im kanadischen Montreal in zwei Tagen Normand Saint Pierre auch zu einem neuen Weltrekord startet, bleibt Rodriguez im Rennen. Beide wollen weitermachen, bis der andere nicht mehr kann.

Lübeck – Kennt er das von seinem Frauchen? Ein Hund reiste per Autostopp am letzten Wochenende

durch Norddeutschland. Das Tier lief einer Frau in Lübeck vor das Auto. Als sie ausstieg, sprang „Bello" in ihren Wagen und wollte ihn nicht mehr verlassen. Die Frau hatte keine Wahl. Sie musste das Tier mit nach Berlin nehmen. Sie brachte ihn zur Polizei. Die Beamten riefen die Besitzerin an. Die Rückfahrt war kein Problem: Frauchens Tochter wohnt nämlich in Berlin.

b

Braunschweig – Mit den Worten „Hallo, ich habe Sie gerufen!" begrüßte die neunjährige Gritt um ein Uhr nachts zwei Polizisten schon vor dem Haus – in Gummistiefeln, Schlafanzug und Mantel. Die Schülerin rief die Polizei an, weil sie starke Ohrenschmerzen hatte. Auf die Frage, warum sie denn nicht ihre Eltern weckt, antwortete das Mädchen, dass diese doch am Morgen sehr früh aufstehen, weil sie zur Arbeit gehen müssen. Zusammen weckten sie dann doch die Eltern. Der überraschte Vater fuhr mit seiner Tochter sofort zum Notarzt.

c

b) Markieren Sie im Text die Präteritumformen. Welche sind regelmäßig, welche unregelmäßig? Ergänzen Sie die Tabelle.

regelmäßige Verben	unregelmäßige Verben
schaffte	brach
...	...

5

13 Fünfjähriger Autofahrer. Lesen Sie die Notizen und hören Sie den Polizeibericht. Welche Notizen passen nicht zum Text? Korrigieren Sie sie.

Fünfjähriger Autofahrer

drei Polizisten – Dienstagmorgen – einen Wagen kontrollieren
das Auto – schnell fahren, nicht normal
deshalb – Auto anhalten
im Auto: Mutter und Sohn (5 Jahre alt)
der Sohn hat das Auto gefahren – 500 m
der Vater – keine Strafe bekommen

Das kann ich auf Deutsch

über Zeit und Zeitgefühl sprechen

Wenn ich auf den Bus warten muss, vergeht die Zeit für mich langsam.
Wie lange arbeitest du heute? / Wie viel Zeit brauchst du zum Einkaufen?

Informationen kommentieren

Ich finde den Artikel (nicht) interessant, weil ...

über deutsche Geschichte sprechen

Das Brandenburger Tor war früher ein Stadttor.
Am 9. November 1989 fiel die Mauer.

Wortfelder

Zeit

die Wartezeit, der Zeitpunkt, zeitlos, schnell, langsam, meine längsten fünf Minuten

deutsche Geschichte

die Nationalsozialisten, der Zweite Weltkrieg, der Kalte Krieg, die Wiedervereinigung

Grammatik

Nebensätze mit *während*

Während sie bügelt, sieht sie fern. Er kauft ein, **während** sie die Wohnung putzt.

Präteritum der unregelmäßigen Verben

gehen – **ging**, fliegen – **flog**, sprechen – **sprach**

Nominalisierung mit *zum*

Wie viel Zeit brauchst du **zum** Kochen / **zum** Lesen / **zum** Schlafen?

Wiederholung

Präteritum: Die Fußballfans **feierten** am 9. Juli 2006 vor dem Brandenburger Tor.
wenn ..., (dann): **Wenn** ich auf den Bus warte, vergeht die Zeit langsam.

Aussprache

das *z*: Zeit zum Putzen, Zeit zum Zärtlichsein

Laut lesen und lernen

6

Das dauert aber lange! Entschuldigung, aber ich hab keine Zeit! Schon zwölf – wie die Zeit vergeht! Alles hat seine Zeit. Mach schnell! Erinnerst du dich an den 9. November 1989?

Zertifikatstraining

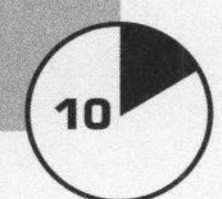

Sprachbausteine, Teil 1

Lesen Sie den Brief und entscheiden Sie, welches Wort (a, b oder c) in die Lücken 1 bis 10 passt. Kreuzen Sie die richtige Antwort an. Sie haben ca. 10 Minuten Zeit.

Carpe diem – Nutze den Tag

Liebe Karin,

danke für …1… Brief. Ich habe mich sehr gefreut! Schön, …2… es dir in Mannheim gefällt und du jetzt weniger Stress hast.
Ich habe letzte Woche einen Artikel in …3… Zeitung gelesen und musste an dich denken. Der Artikel hieß „Carpe diem – Nutze den Tag". Stell …4… vor, du bekommst jeden Tag morgens von einem fremden Menschen 86 400 Euro.
Es gibt nur ein Problem: Wenn du das Geld nicht ausgibst, ist es …5… Mitternacht weg. Was soll man am besten mit …6… Geld machen? Endlich ein neues Auto kaufen? Und dann ganz viele Geschenke für die Familie und Freunde? Und vielleicht eine Wohnung und …
Aber eigentlich …7… es in dem Artikel um …8… Zeit: Wusstest du, dass jeder Tag 86 400 Sekunden hat? Und dass so viele Sekunden einfach so vergehen? Man sollte also diese Sekunden für das eigene Glück, für die …9… Familie und das eigene Leben nutzen. Stimmt doch, oder? Es ist aber nicht immer so einfach! Man muss ja auch arbeiten.

So, genug geredet. Ich …10… jetzt Schluss machen.

Viele liebe Grüße

Sonja

1. a) dein b) deine c) deinen
2. a) weil b) dass c) und
3. a) die b) das c) der
4. a) sich b) mich c) dir
5. a) im b) am c) um
6. a) dem b) der c) das
7. a) gehen b) ging c) gegangen
8. a) die b) der c) das
9. a) eigener b) eigenen c) eigene
10. a) muss b) müssen c) musst

2 Alltag

1 Alltagsprobleme

1 So ein Ärger! **Lesen Sie die Dialoge und ordnen Sie die Fotos zu.**

a

1. ☐
- ■ Da kommt ja schon wieder ein Krankenwagen. Ist das hier immer so laut?
- ◆ Ja, das Krankenhaus ist hier in der Nähe. Ich überlege schon, ob ich mir eine andere Wohnung suche.

b

2. ☐
- ■ Ein Strafzettel – oh nein! Ich steh' höchstens seit zwei Minuten hier, ich hab' nur etwas abgeholt!
- ◆ Aber Sie sehen doch, dass man hier nicht parken darf!

c

3. ☐
- ■ Ich hab' eine Panne, können Sie mir helfen?
- ◆ Na klar, kein Problem!

d

4. ☐
- ■ Der Geldautomat hat meine EC-Karte gesperrt.
- ◆ Da haben Sie sicher die falsche Geheimzahl eingegeben. Das darf man nur zweimal.

 14

2 Informationen verstehen. **Hören Sie die Dialoge. Welche Informationen sind neu? Notieren Sie.**

1. Oder ist das die Feuerwehr?
2. ...
...

Hier lernen Sie
- über Alltagsprobleme sprechen
- Ratschläge geben
- Konjunktiv II (Präsens) der Modalverben *sollte, müsste, könnte*
- etwas begründen: *darum, deshalb, deswegen*
- graduierende Adverbien: *sehr, …*
- höfliche Intonation
- Wdh.: Nebensätze mit *weil;* Imperativ

e

5.
■ Entschuldigung, könnten Sie mich bitte vorlassen? Ich habe nur eine Milch.
◆ Na, dann gehen Sie schon!

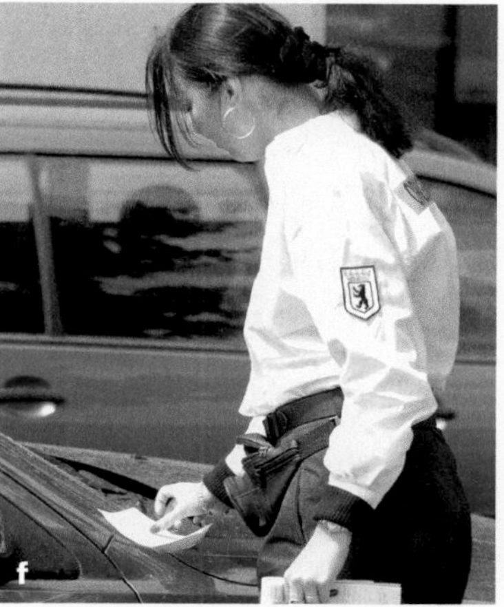
f

6.
■ Was suchst du denn jetzt schon wieder?
◆ Ach, ich kann meinen Schlüssel nicht finden!

g

7.
■ 25 Minuten Verspätung! Da ist ja mein Anschluss in Koblenz weg! Wie komme ich denn jetzt nach Karlsruhe weiter?
◆ Moment bitte, ich seh' mal nach.

h

8.
■ Entschuldigung, könnten Sie vielleicht aufstehen und Ihren Platz der alten Dame geben?
◆ Aber natürlich! Bitte sehr.

3 Ü1 **Meine persönlichen Alltagsprobleme. Worüber ärgern Sie sich? Was stresst Sie? Berichten Sie im Kurs.**

Ich ärgere mich oft über unfreundliche Verkäuferinnen.

Autofahren im Großstadtverkehr ist für mich Stress.

Redemittel
… ist für mich Stress.
… ist/sind ein bisschen nervig.
… macht/machen mich wahnsinnig!
Ich finde es stressig, wenn/dass …
Ich ärgere mich sehr oft über …
Es stört mich, wenn/dass …
Es macht mich nervös, wenn/dass …

4 Auf der Bank. Dialoge üben

15 Ü2

a) Hören Sie den Dialog und lesen Sie mit. Was ist das Problem?

■ Guten Tag.
◆ Guten Tag, was kann ich für Sie tun?
■ Ich hab' da ein Problem. Der Automat hat meine EC-Karte gesperrt. Können Sie mir helfen?
◆ Ja natürlich, wenn Sie mir Ihre Geheimzahl sagen, kann ich Ihre Karte entsperren.
■ Das ist ja das Problem. Ich hab' die Geheimzahl total vergessen.
◆ Das tut mir leid, dann müssen Sie eine neue Karte beantragen. Bitte füllen Sie diesen Antrag aus und unterschreiben Sie hier.
■ Und wie lange dauert das mit der neuen Karte?
◆ Ach, das geht ziemlich schnell, ungefähr drei bis vier Tage. Die Karte und die neue Geheimzahl werden Ihnen getrennt zugeschickt.
■ Aber wie kann ich denn jetzt Geld abheben?
◆ Das kann ich Ihnen in bar auszahlen. Wie ist denn Ihre Kontonummer, bitte?
■ 38 57 75 54 10.
◆ Füllen Sie bitte diese Auszahlungsquittung aus. Haben Sie Ihre Kundenkarte oder den Personalausweis dabei?
■ Ja, hier ... und ich hätte gern einhundert Euro.
◆ So, bitte schön: fünfzig, siebzig, achtzig, neunzig, fünfundneunzig, einhundert.
■ Danke schön, auf Wiedersehen.
◆ Auf Wiedersehen.

Auszahlungsquittung — Deutsche Bank, Privat- und Geschäftskunden AG

Konto-Nummer	Euro
Betragswiederholung in Worten, Cent wie oben	
für Rechnung (Name des Kontoinhabers)	
Ich/Wir bescheinige(n), den oben genannten Betrag empfangen zu haben. Unterschrift(en)	

002 02204 00 10 02

b) Lesen Sie den Dialog noch einmal. Welche Verben passen? Ergänzen Sie.

1. ein Problem ...... *haben* ......
2. eine neue Karte ....
3. einen Antrag .... und ....
4. eine Karte per Post ....
5. Geld in bar ....

c) Üben Sie den Dialog zu zweit.

5 Bei der Polizei. Mit einem Dialogschema arbeiten

a) Sie sind auf dem Markt zum Einkaufen. Um 11 Uhr wollen Sie am Obststand bezahlen, da merken Sie, dass man Ihnen das Portemonnaie aus der Tasche gestohlen hat. Sie gehen zur Polizei und zeigen den Diebstahl an. Schreiben Sie zu zweit einen Dialog.

1. Sie erklären Ihr Problem. → 2. Der Beamte fragt nach Details (Adresse/Zeit/Ort).

↙

3. Sie geben die Informationen. → 4. Der Beamte liest das Protokoll vor und sagt, dass Sie unterschreiben müssen.

↙

5. Sie fragen, wie es weitergeht. → 6. Der Beamte sagt, dass Sie Post bekommen, wenn es neue Informationen gibt.

↙

7. Sie bedanken und verabschieden sich.

1. Guten Tag, mein Name ist ...
Ich war ... → *2. Wann haben Sie gemerkt, dass das Portemonnaie weg ist? Wo ...*

b) Lesen und üben Sie den Dialog. Spielen Sie ihn vor.

6 Einen Dialog schreiben und üben

Ü3–4

a) Arbeiten Sie zu zweit. Lesen Sie die Rollenkarten und ordnen Sie die Aussagen zu.

A

Sie fahren mit dem Auto. Ein Polizist hält Sie an, weil Sie zu schnell gefahren sind. Sie entschuldigen sich und sagen, dass Ihre Frau / Ihre Tochter ein Kind bekommt. Sie müssen ins Krankenhaus. Sie müssen 40 Euro zahlen und eine Quittung unterschreiben. Der Polizist wünscht Ihnen viel Glück.

B

Ihr Zug hat 35 Minuten Verspätung. Sie haben Angst, dass Sie den Anschlusszug in Frankfurt verpassen. Der Zugbegleiter entschuldigt sich für die Verspätung und fragt, wohin Sie wollen. Sie müssen um 15 Uhr in Karlsruhe sein. Der Zugbegleiter sagt, dass Sie den Zug um 13.05 oder um 13.50 ab Frankfurt nehmen können.

1. ▢ Wann kommen wir … an?
2. ▢ Ich werde Vater/Oma.
3. ▢ Wo muss ich unterschreiben?
4. ▢ Ich muss pünktlich sein.
5. ▢ Das ist kein Problem, Sie können …
6. ▢ Alles Gute!

b) Wählen Sie eine Karte aus. Schreiben Sie einen Dialog und spielen Sie ihn vor.

2 Stress im Alltag

1 Arbeit als Stressfaktor

a) Lesen Sie den Artikel. Was macht Sabine Schröder beruflich?

„Mein Job frisst mich auf!"

Arbeiten bis spät in die Nacht, ständig unter Zeitdruck, keine Zeit für Freunde – und immer ein schlechtes Gewissen. Was sollten wir tun, wenn der Job das ganze Leben beherrscht?

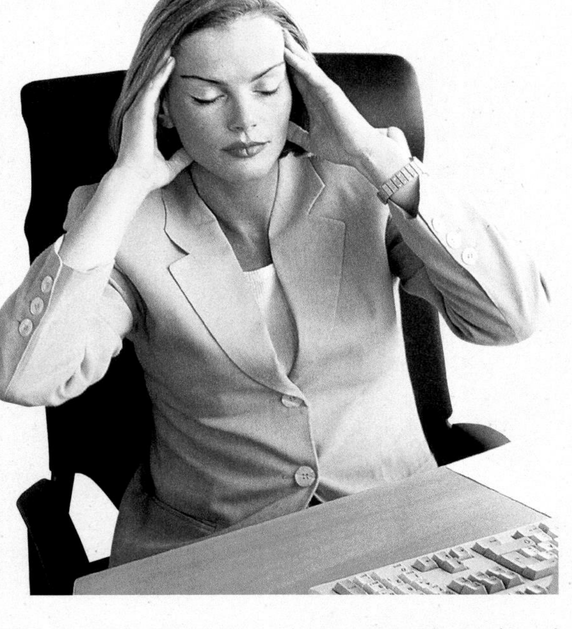

Oft fragt sich Sabine Schröder: „Warum mache ich ständig unbezahlte Überstunden? Und was ist mit meinem Privatleben?" In der Werbeagentur, in der die 35-Jährige als Texterin arbeitet, ist zwar offiziell um sechs Feierabend. Aber Sabine kommt selten vor 20 Uhr aus der Agentur. Wenn sich eine Sitzung sehr in die Länge zieht, kommt sie sogar erst nachts um zwölf oder halb eins nach Hause. Und wann ist Zeit für persönliche Dinge? Sie muss eigentlich schon lange zum Zahnarzt, aber den Termin hat sie verschoben und ihr Kühlschrank ist ziemlich leer, weil sie keine Zeit zum Einkaufen hat.

Sabine Schröder liebt ihren Beruf, aber wenn uns der Job völlig beherrscht, dann ist etwas nicht in Ordnung. Unsere Arbeitswelt hat sich in den letzten Jahren sehr stark verändert, deshalb haben viele Menschen das Gefühl, dass ihr Job sie auffrisst. Wir sitzen abends nicht im Kino, sondern über besonders wichtigen Papieren. Wir kommen erst spät nachts von Dienstreisen zurück und nehmen am Wochenende Arbeitsunterlagen mit nach Hause. Durch Handy und Internet sind wir überall und für jeden erreichbar.

„Bis in die Nacht produziere ich unter Zeitdruck Ideen", sagt Sabine. „Danach fühle ich mich oft leer." Auch die Freunde reagieren inzwischen nicht mehr so verständnisvoll wie früher, wenn sie kurzfristig absagt. Ihre Partnerschaft ging kaputt, weil sie nie richtig Zeit hatte. Sie weiß, dass sie einen Ausgleich zum Job braucht. Sie sollte sich ein Hobby suchen. Aber wann denn?

nach Brigitte, Nr. 23 vom 25.10.2006

b) Sammeln Sie in einer Tabelle: Was macht Sabine Stress? Was sind die Folgen? Berichten Sie im Kurs.

Sie hat Stress, weil sie oft sehr lange arbeitet.

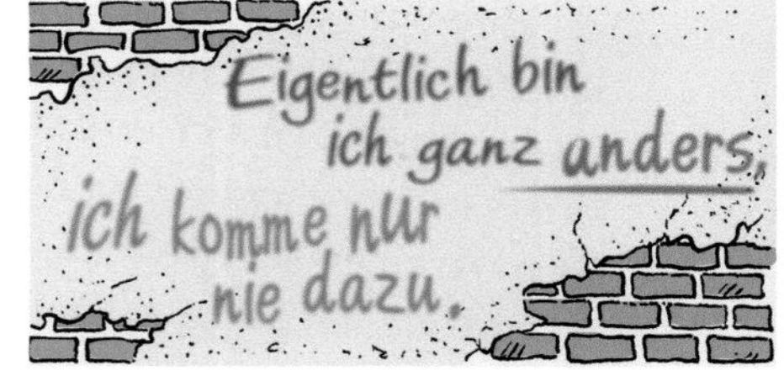

Eigentlich bin
ich ganz anders,
ich komme nur
nie dazu.

2 Und Sie? Wann hatten Sie das letzte Mal Stress? Warum? Erzählen Sie.

Ü5

Zug verpasst – verschlafen – …

Das letzte Mal war ich gestresst, als ich zwei Stunden im Stau gestanden habe.

Ich hatte Stress, weil …

3 Strategien gegen Stress

a) Einen Hörtext vorbereiten: Sprechen Sie über die Fotos.

16

b) Hören Sie den Anfang der Radiosendung und ergänzen Sie.

Titel der Sendung

....

Thema

....

....

17

c) Hören Sie die Interviews. Was sagen die Leute? Kreuzen Sie an.

1. ☐ Ich schlafe lange.
2. ☐ Ich treibe Sport.
3. ☐ Ich spiele Klavier.
4. ☐ Ich sehe fern.
5. ☐ Ich gehe ins Kino.
6. ☐ Ich habe gerne Stress!
7. ☐ Ich höre Musik.
8. ☐ Ich gehe schwimmen.
9. ☐ Ich mache einfach mal gar nichts.
10. ☐ Ich habe keinen Stress.
11. ☐ Ich lese Zeitung oder ein schönes Buch.
12. ☐ Ich gehe in die Sauna.
13. ☐ Ich treffe mich mit Freunden.
14. ☐ Ich gehe mit meinem Hund spazieren.

4 Und was machen Sie? Üben Sie mit eigenen Beispielen.

Ü6

Wenn ich viel Stress habe, mache ich Sport.

Wenn ich viel Ärger habe, muss ich mit einer Freundin darüber reden.

3 Gute Ratschläge

1 Was Katrin alles tun sollte. **Sehen Sie sich die Zeichnungen an. Zu wem passen die Sätze unten? Kennen Sie ähnliche Situationen?**

1. .... : Komm doch mal mit zum Sport!
2. .... : Wann werde ich endlich Oma?
3. .... : Was? Zwei Tage!? Ich brauche das in zwei Stunden!
4. .... : Ich muss mal!

2 Ratschläge mit *könnte, müsste, sollte.*

Wer **gibt** ***welche*** **Ratschläge? Kombinieren Sie.**

Katrins Mann findet, sie sollte Karriere machen.

Mein/e	Mutter Arzt Kinder Freundinnen Chef Kollegen Mann	findet, finden,	ich	**könnte** **müsste** **sollte**	zum Yogakurs gehen. Karriere machen. öfter zu Besuch kommen. endlich ein Kind bekommen. ein bisschen abnehmen. schneller arbeiten. mehr kochen.

3 Sprachschatten. Üben Sie mit den Beispielen aus Aufgabe 2 zu zweit.

Beispiel

- ■ Du könntest zum Yogakurs gehen.
- ◆ Zum Yogakurs?
- ■ Ja, du könntest zum Yogakurs gehen.
- ◆ Du könntest …

4 Ratschläge üben. Wählen Sie eine Person aus. Geben Sie Ihr einen guten Rat.

Ü7

Redemittel

Ratschläge geben

Du solltest mal wieder …
Du könntest …
Geh doch mal zum Friseur am Marktplatz.
Kannst du nicht mal ein paar Tage Urlaub machen?

Freund/in
Tochter/Sohn
Mutter/Vater
Kollege/Kollegin
Nachbar/in
…

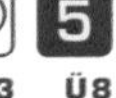

5 Konjunktiv II (Präsens). Präteritum als Lernhilfe. Ergänzen Sie die Tabelle.

13 Ü8

Grammatik

können	*Präteritum*	*Konjunktiv*
ich	*konnte*	*könnte*
du	....	....
ihr	*konntet*	*könntet*
sie/Sie	....	....

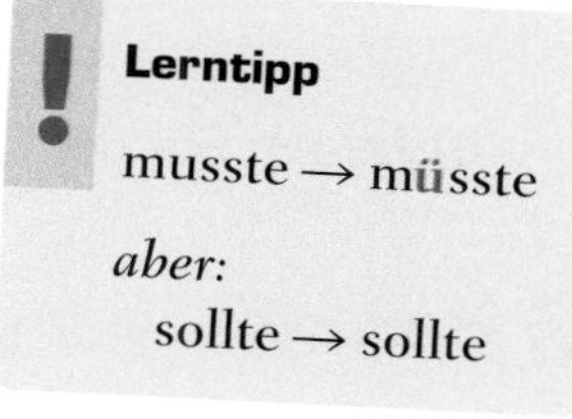

! Lerntipp

musste → müsste

aber:

sollte → sollte

6 Zehn Dinge, die ich tun sollte. Sammeln Sie und schreiben Sie einen Text.

Ich-Texte schreiben

Meine Familie/… findet immer, ich sollte …
Meine Kolleginnen/… meinen, ich müsste …
Mein/e Freund/in … findet, ich könnte …
Ich denke, ich könnte …
Aber manchmal sollte ich wirklich …

 **7** Ü9

Gründe nennen mit *deshalb, darum, deswegen*

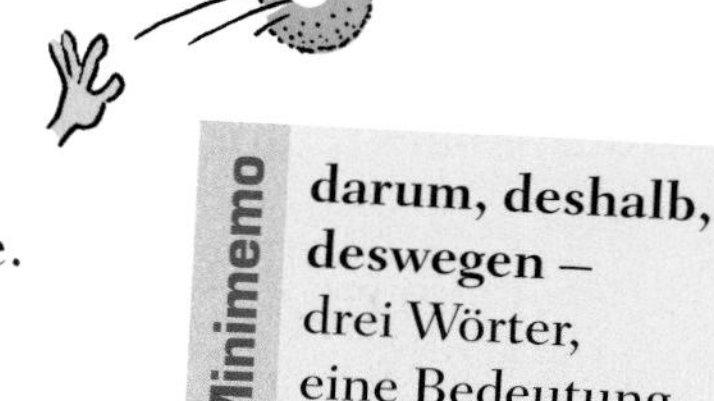

Ich habe ständig zu wenig Zeit,	deshalb darum deswegen	mache ich wenig Sport. gehe ich kaum ins Kino. treffe ich selten Freunde. sehe ich wenig fern. gehe ich selten tanzen. …

Minimemo
darum, deshalb, deswegen –
drei Wörter,
eine Bedeutung

 **8** 3 Ü10

Satzstruktur. Markieren Sie die Verben und vergleichen Sie. Ergänzen Sie die Regel.

Ich habe wenig Zeit, weil ich oft Überstunden mache.

Ich mache oft Überstunden, **darum/deshalb/deswegen** habe ich wenig Zeit.

Regel Nach *weil* folgt ein ....satz, das Verb steht ....
Nach *darum/deshalb/deswegen* folgt ein ....satz,
das Verb steht auf ....

  **9** 10 Ü11 18

Eine Aussage verstärken: *sehr, besonders, ziemlich*

a) Hören Sie und lesen Sie mit.

■ Du siehst müde aus.
◆ Ja, heute war ein **besonders** anstrengender Tag. Es war **ziemlich** viel zu tun und dann waren gleich zwei Kolleginnen krank.
■ Du Arme! Na, dann … schönen Feierabend!

■ Was liest du denn da?
◆ Ein Buch von Donna Leon, das ist wirklich **sehr** spannend!
■ Aha, du bist wohl ein Krimi-Fan?
◆ Ja, Krimis finde ich **ziemlich** gut!

b) Lesen Sie die Dialoge zu zweit. Achten Sie auf die Betonung.

 Ü12-13

Höfliche Intonation: Ratschläge geben

a) Lesen und vergleichen Sie. Welche Ratschläge finden Sie höflicher? Kreuzen Sie an.

1. Wir gehen selten aus.	☐ Ihr solltet öfter mal ins Kino gehen. ☐ Geht doch öfter mal ins Kino!
2. Ich lebe ungesund.	☐ Du könntest doch mehr Obst essen. ☐ Iss doch mehr Obst!
3. Ich habe keine Kondition.	☐ Sie müssten Sport machen. ☐ Machen Sie doch Sport!

 19

b) Welche Ratschläge klingen höflicher? Hören und vergleichen Sie.

4 Lachen ist gesund!

Informationen aus einem Text suchen

Ü14

a) Warum ist Lachen gesund? Lesen Sie und finden Sie die Antwort.

Jetzt haben Wissenschaftler bestätigt, was Menschen auf der ganzen Welt schon immer vermutet haben: Man sollte viel lachen, denn lachen macht glücklich und gesund. Nicht nur in Deutschland weiß man: „Lachen ist die beste Medizin". In Indien heißt es: „Der beste Arzt ist das Lachen" und in Italien sagt man: „Lachen macht gutes Blut". Nun liefern Studien den wissenschaftlichen Beweis, dass das Lachen im menschlichen Organismus verschiedene biochemische Prozesse auslöst, die den Körper und die Psyche positiv beeinflussen. Aber einmal lachen hilft nicht. Nur wenn man oft und herzlich lacht, kommt es zu diesem positiven Effekt. Man müsste also viel mehr lachen!

b) Im Text werden Sprichwörter zum Thema Lachen genannt. Hier sehen Sie noch weitere. Aus welchen Ländern könnten diese Sprichwörter sein? Ordnen Sie zu.

a Rir é o melhor Remédio
Lachen ist die beste Medizin.

b Il riso fa buon sangue.
Lachen macht gutes Blut.

c Một nụ cười bằng mười thang thuốc bổ
Ein Lachen wirkt wie zehn Tabletten.

d 笑一笑，十年少。
Einmal lächeln macht zehn Jahre jünger.

e Смех продлевает жизнь
Lachen verlängert das Leben.

f Το γέλιο είναι υγεία.
Lachen ist gesund.

g الضحك هو أفضل علاج
Lachen ist die beste Medizin.

- ☐ ☐ Syrien und Portugal
- ☐ Griechenland
- ☐ China
- ☐ Russland
- ☐ Italien
- ☐ Vietnam

2 Vergessen?!

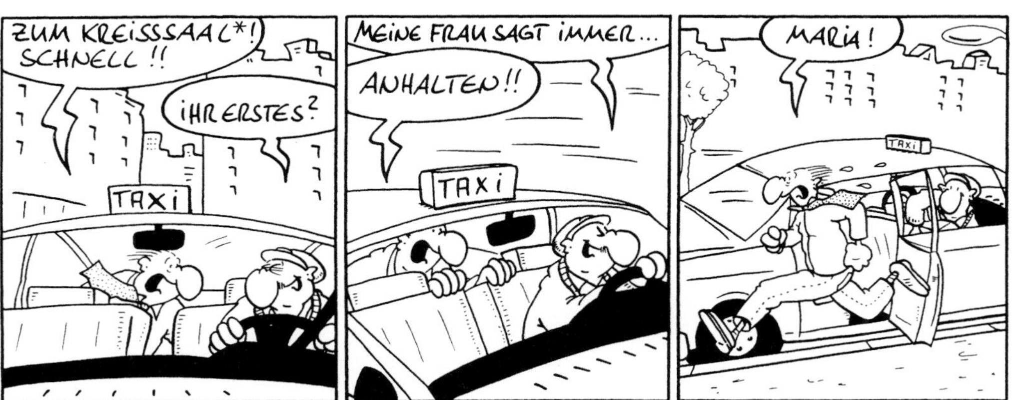

* Kreißsaal: Zimmer im Krankenhaus, in dem Frauen Kinder bekommen

1 **Alltagsprobleme.** **Wo sagt man das? Ordnen Sie die Fotos und die Antworten zu.**

Haben Sie die Schuhe auch eine Nummer kleiner?	1	a	Nein, leider nur in Rot.
Wie wäre der Gänsebraten?	2	b	Das ist mir zu viel. Ich nehme doch lieber eine Kleinigkeit.
Auf welchem Gleis kommt der Zug aus Köln an?	3	c	Um 16.35 Uhr.
Wann komme ich denn an?	4	d	Nein, leider nur in Größe 37.
Haben Sie diese auch in Schwarz?	5	e	Moment bitte, auf Gleis 3.
Zusammen oder getrennt?	6	f	Alles auf eine Rechnung, bitte!

2 **Auf der Bank**

7

a) Textkaraoke. Hören Sie und sprechen Sie die ⟨Mund⟩-Rolle im Dialog.

- ⟨Ohr⟩ …
- ⟨Mund⟩ Ja, ich möchte ein Konto eröffnen.
- ⟨Ohr⟩ …
- ⟨Mund⟩ Bitte, hier ist mein Reisepass.
- ⟨Ohr⟩ …
- ⟨Mund⟩ Ja, die ist hinten im Reisepass.
- ⟨Ohr⟩ …
- ⟨Mund⟩ Bekomme ich auch eine EC-Karte?
- ⟨Ohr⟩ …

8

b) Hören Sie den Dialog zweimal. Ergänzen Sie das Antragsformular.

1. Kontoinhaber

☒ Frau ☐ Herr

Name Estévez-Martín ______ Vorname ______

Adresse
Straße, Nr. Vogelweg ______ PLZ/Ort ______

Geburtsdatum ______ Geburtsort Buenos Aires ______

Familienstand ☐ ledig ☐ verheiratet ☐ geschieden

Nationalität ______ Beruf ______

Telefon
privat 06348- ______ geschäftlich ______

E-Mail ______

Datum ______ Unterschrift ______

3 Die Verbraucherzentrale. Lesen Sie den Text. Welche Aussagen sind richtig? Kreuzen Sie an.

1. ☐ Es gibt keine Telefonrechnungen ohne Fehler.
2. ☐ Die Telefongesellschaft schickt Ihnen eine Liste aller Anrufe.
3. ☐ Man sollte immer zuerst die ganze Rechnung bezahlen.
4. ☐ Die Verbraucherzentrale hilft Ihnen, wenn Sie Probleme mit der Telefongesellschaft haben.

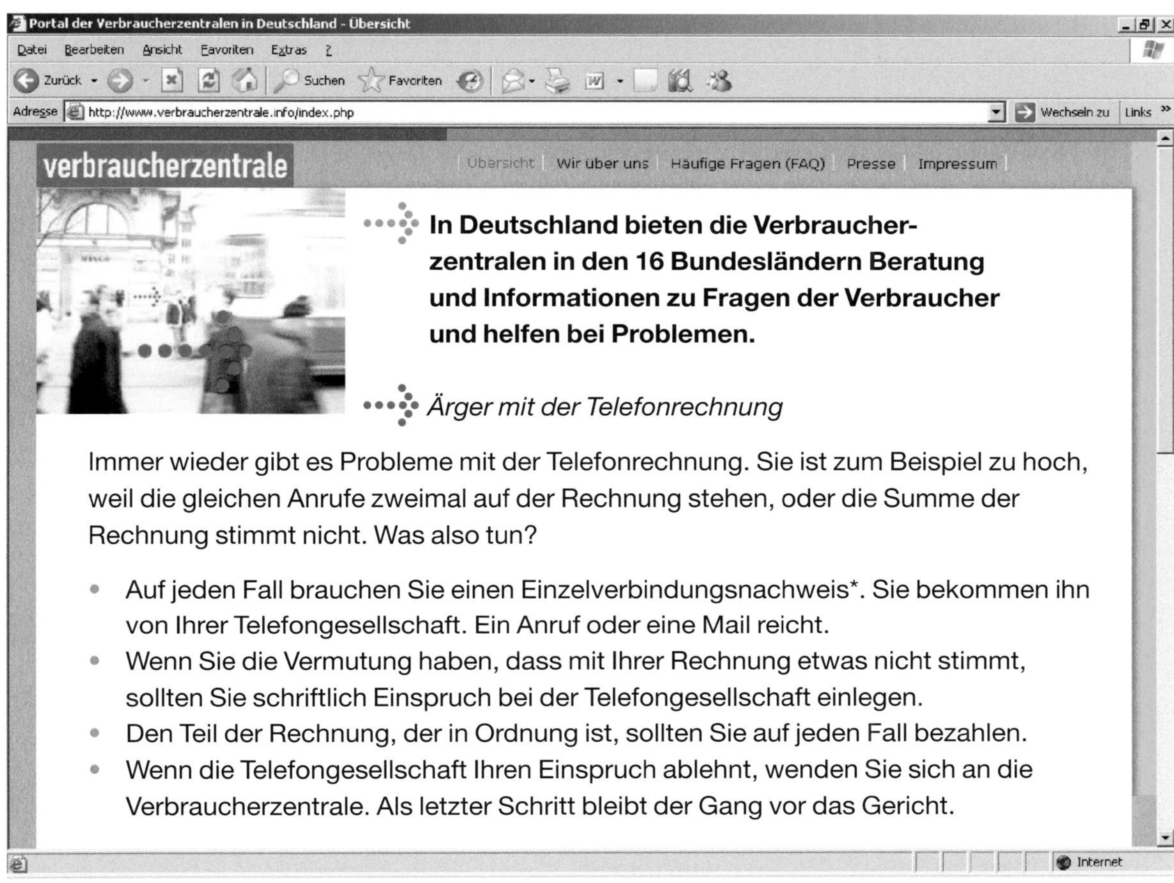

Portal der Verbraucherzentralen in Deutschland - Übersicht

Adresse http://www.verbraucherzentrale.info/index.php

verbraucherzentrale | Übersicht | Wir über uns | Häufige Fragen (FAQ) | Presse | Impressum

In Deutschland bieten die Verbraucherzentralen in den 16 Bundesländern Beratung und Informationen zu Fragen der Verbraucher und helfen bei Problemen.

Ärger mit der Telefonrechnung

Immer wieder gibt es Probleme mit der Telefonrechnung. Sie ist zum Beispiel zu hoch, weil die gleichen Anrufe zweimal auf der Rechnung stehen, oder die Summe der Rechnung stimmt nicht. Was also tun?

- Auf jeden Fall brauchen Sie einen Einzelverbindungsnachweis*. Sie bekommen ihn von Ihrer Telefongesellschaft. Ein Anruf oder eine Mail reicht.
- Wenn Sie die Vermutung haben, dass mit Ihrer Rechnung etwas nicht stimmt, sollten Sie schriftlich Einspruch bei der Telefongesellschaft einlegen.
- Den Teil der Rechnung, der in Ordnung ist, sollten Sie auf jeden Fall bezahlen.
- Wenn die Telefongesellschaft Ihren Einspruch ablehnt, wenden Sie sich an die Verbraucherzentrale. Als letzter Schritt bleibt der Gang vor das Gericht.

* Liste aller Anrufe

4 Anruf bei der Verbraucherzentrale

a) Ordnen Sie die Sätze.

■ ☐ Ja, was für ein Problem haben Sie?
■ *1* Verbraucherzentrale, Beratungsservice, Petra Evers am Apparat. Guten Tag.
■ ☐ Dann sollten Sie zuerst einen Einspruch an die Telefongesellschaft schicken. Sie können sich einen Musterbrief von unserer Internetseite ausdrucken.
■ ☐ Ja. Bezahlen Sie aber trotzdem schon einen Teil der Rechnung.
■ ☐ Nichts zu danken. Auf Wiederhören.
◆ ☐ Also, die Rechnung stimmt nicht! Drei oder vier Anrufe stehen dort zweimal.
◆ ☐ Auf Wiederhören.
◆ ☐ Guten Tag, Eva Kirchner hier. Ich habe eine Frage zu meiner Telefonrechnung.
◆ ☐ Und den Brief schicke ich an die Telefongesellschaft?
◆ ☐ Gut, das mache ich. Vielen Dank.

9

b) Hören Sie und kontrollieren Sie mit der CD.

5 **Stressfaktoren und Strategien gegen den Stress.** **Schreiben Sie *weil*-Sätze.**

1. Sie musste im Büro viel telefonieren.
   Eva ist abends oft total kaputt, *weil sie im Büro viel telefonieren musste.*

2. Sie kümmert sich um ihre kranke 83-jährige Mutter.
   Frau Moll ist oft mit den Nerven am Ende, ……………………

3. Der Vater ist schon zwei Jahre arbeitslos.
   In der Familie Surmann gibt es oft Ärger, ……………………

4. Sie steht auf dem Weg zur Arbeit fast jeden Tag im Stau.
   Sabine hat morgens oft Stress, ……………………

5. Viele Kunden sagen Termine kurzfristig ab.
   Herr Uhl ist Versicherungsagent und hat oft Ärger mit der Terminplanung, ……………………

6. Ihre Tochter will die Hausaufgaben nicht machen.
   Frau Bötner ist oft total gestresst, ……………………

7. Sein Chef weiß immer alles besser.
   Als Journalist hat Mark manchmal Stress, ……………………

6 **Was machen die Personen aus Aufgabe 5 gegen Stress? Schreiben Sie *wenn*-Sätze. Variieren Sie wie im Beispiel.**

total fertig sein – gestresst sein – Ärger haben – müde sein – Stress haben

~~Eva sieht sich abends noch ein Video an.~~ – Frau Moll geht mit ihrem Mann ins Kino. – Frau Surmann geht mit den Kindern auf den Spielplatz. – Sabine hört eine schöne CD. – Herr Uhl entspannt sich mit einem Kreuzworträtsel. – Frau Bötner telefoniert mit ihrer Freundin, die die gleichen Probleme hat. – Mark geht nach der Arbeit ins Fitnessstudio.

1. Wenn Eva müde ist, sieht sie sich abends noch ein Video an.

7 Keine Geschäfte an der Tür! Schreiben Sie Ratschläge wie im Beispiel.

Die Polizei gibt Ratschläge.

1. Überlegen Sie zuerst!
2. Öffnen Sie die Wohnungstür nicht!
3. Unterschreiben Sie nichts!
4. Geben Sie kein Geld!
5. Informieren Sie die Polizei.

Wir wollen, dass Sie sicher leben.
Ihre Polizei

1. Ein Fremder klingelt an Ihrer Tür. *Sie sollten zuerst überlegen* ....,
ob Sie einen Termin gemacht haben!
2. *Sie sollten* ....!
3. ....!
4. ....!
5. ....!

8 Gute Ratschläge. Schreiben Sie Sätze mit *könnt-*, *sollt-* und *müsst-* und ordnen Sie sie den Zeichnungen zu.

KÖLN - BERLIN
EC

1. sich die Geheimzahl notieren
Sie sollten sich die Geheimzahl notieren. ....
2. früher zum Bahnhof gehen
....
3. sich einen besseren Schreibtischstuhl kaufen
....
4. endlich mal zum Frisör gehen
....
5. den Wagen in die Werkstatt bringen
....

9 „Meine" Gründe. **Verbinden und schreiben Sie Sätze mit *darum, deshalb* oder *deswegen.***

Ich bin müde.	1	a	Ich mache eine Diät.
Ich möchte einfach gar nichts machen.	2	b	Ich gehe gleich schlafen.
Ich will fit bleiben.	3	c	Ich gehe oft ins Konzert.
Ich höre gern Musik.	4	d	Ich mache viel Sport.
Ich möchte abnehmen.	5	e	Ich bleibe heute zu Hause.

1. Ich bin müde, darum gehe ich gleich schlafen.

10 **Ergänzen Sie *weil* oder *darum, deshalb, deswegen.***

Stress im Job?

Lernen Sie, nein zu sagen

Haben Sie Stress, ... Sie für den Chef Aufgaben erledigen müssen, die nicht zu Ihrem Job gehören? Haben Sie viele Überstunden,

.... die Kollegen ihre Arbeit nicht schaffen und

.... Sie ihnen helfen wollen? Lernen Sie die Regeln für ein deutliches Nein!

- Sagen Sie klar, aber freundlich „Nein." Die Mimik ist dabei wichtig, ... sollten Sie dem Partner in die Augen sehen.
- Sie sollten nicht zeigen, dass Sie unsicher sind, ... erklären Sie nicht lange „warum".
- Bleiben Sie bei Ihrem Nein, ... Ihnen das nächste Nein sonst niemand glaubt.

11 *Sehr, besonders, ziemlich.* **Hören Sie die Sätze und sprechen Sie nach.** (10)

1. Herr Koop ärgert sich ziemlich oft über die Kollegen.
2. Ich finde es sehr schön, dass ihr mich besuchen wollt.
3. Frau Meingärtner, mit Ihrer Arbeit bin ich besonders zufrieden. Weiter so!
4. Uns gefällt die neue Wohnung ziemlich gut.
5. Guten Morgen, Frau Klinger. Heute sind Sie ja besonders pünktlich.

12 Ärger im Alltag (11)

a) Was ist höflicher? Hören und markieren Sie.

1. a) ☐ Kaufen Sie sich doch vor der Fahrt eine Fahrkarte.
   b) ☐ Sie sollten sich vor der Fahrt eine Fahrkarte kaufen.
2. a) ☐ Bitte rauche hier nicht. Das ist doch verboten.
   b) ☐ Kannst du nicht lesen? Rauchen ist hier verboten!
3. a) ☐ Könntet ihr vielleicht etwas leiser sein?
   b) ☐ Jetzt seid doch bitte mal leise.
4. a) ☐ Stell dein Fahrrad nicht immer direkt vor die Tür!
   b) ☐ Könntest du das Fahrrad bitte nicht direkt vor die Tür stellen?

b) Hören Sie noch einmal und sprechen Sie nach.

13 Ratschläge

a) Was passt? Ergänzen Sie die Aussagen im Imperativ.

ein Aspirin nehmen – ~~langsamer sprechen~~ – schon ohne mich anfangen – die Gebrauchsanweisung lesen – Herrn Huber um 11.30 Uhr am Bahnhof abholen

1. Ich kann dich nicht verstehen. Sprich langsamer!
2. ....,
   wenn du nicht weißt, wie das Gerät funktioniert!
3. Hast du Kopfschmerzen? ....
4. Hallo Mischa und Frank, ich komme gleich. ....
   ....!
5. Frau Mohr, ich kann heute nicht zum Bahnhof fahren. ....
   ....

12

b) Hören und korrigieren Sie Ihre Lösung. Markieren Sie die neuen Wörter.

14 Warum ist Lachen gesund? **Ergänzen Sie die Verben.**

beeinflussen – lachen – entspannen – schützen – verlängern

Minimemo
darum, deshalb, deswegen – drei Wörter, eine Bedeutung

1. Man sollte viel ...., weil es glücklich macht.
2. „Lachen ist die beste Medizin", weil es den Körper und die Psyche positiv ....
3. Beim Lachen bilden sich Antikörper, die uns vor Krankheiten ....
4. Lachen ist auch eine Strategie gegen Stress, es kann sogar das Leben ....
5. Man müsste deshalb viel öfter lachen, es tut gut und ....

Das kann ich auf Deutsch

über Alltagsprobleme sprechen

Ein Strafzettel – warum? Ich steh' doch höchstens zwei Minuten hier!
Ich suche schon wieder mein Portemonnaie! Das macht mich nervös.

Ratschläge geben

Mach doch mal Urlaub! Kannst du nicht mal Urlaub machen?
Ich finde, du müsstest abnehmen. Du solltest gesünder leben.

Wortfelder

Alltagsprobleme

der Stress, der Zeitdruck, die Verspätung, die Wartezeiten, die Panne, stressig, nervös

Bank

der Geldautomat, die EC-Karte, die Geheimzahl, Geld abheben

Grammatik

Konjunktiv II (Präsens) der Modalverben

Sie **könnten** schneller arbeiten! Du **solltest** Karriere machen.
Du **müsstest** mehr Sport machen.

etwas begründen: *darum, deswegen, deshalb*

Ich treffe mich nach der Arbeit mit einer Freundin, **darum/deshalb/deswegen** komme ich heute später nach Hause.

graduierende Adverbien: *ein bisschen, sehr, ziemlich, besonders*

Mach doch **ein bisschen** mehr Sport.
Der Tag war **ziemlich** lang und **sehr** anstrengend, aber auch **besonders** interessant.

Wiederholung

Nebensätze mit *weil:* Ich komme später, **weil** ich noch einkaufen muss.
Imperativ: **Geh** mal wieder ins Kino!

Aussprache

höfliche Intonation

Könntest du bitte langsamer sprechen?

13

Laut lesen und lernen

Wo ist denn nur mein Schlüssel?! Können Sie mir das Geld in bar auszahlen?
Sie müssen eine neue EC-Karte beantragen. Könnten Sie mir ein bisschen helfen?
Du solltest mehr lachen. Lachen ist gesund!

Zertifikatstraining

Leseverstehen, Teil 3 (Selektives Verstehen)

Lesen Sie zuerst die Situationen (1–8) und dann die Anzeigen (a–i). Welche Anzeige passt zu welcher Situation? Tragen Sie die richtige Antwort ein. Sie können jede Anzeige nur einmal verwenden. Es ist auch möglich, dass Sie *keine* passende Anzeige finden. In diesem Fall tragen Sie „x“ ein. Sie haben ca. 10 Minuten Zeit.

1. Sie haben sich eine Jeans gekauft, die Ihnen zu lang ist. Sie wollen sie kürzer machen lassen.
2. Ihre Nachbarn sind jetzt in Rente und möchten lernen, mit Computer und Internet zu arbeiten.
3. Ihre 7-jährige Tochter tanzt gern und möchte eine Ballerina werden.
4. Sie wollen Deutsch am Computer lernen.
5. Ihre Freundin möchte schnell abnehmen.
6. Sie sind gerade erst nach Deutschland gekommen und möchten Deutsch nicht nur im Unterricht lernen.
7. Sie wollen günstig nach Italien fliegen.
8. Freunde von Ihnen wollen in Weimar heiraten.

Vermischtes

a) **Neues Kursangebot!** Erste Schritte am Computer und im Internet für Senioren! Jeden Dienstagvormittag. Machen Sie mit! Seien Sie fit am PC! Achtung: Die Teilnehmerzahl ist begrenzt! Melden Sie sich an: Münchner Volkshochschule, www.mvhs.de, Tel: 089/48 34 15

b) **Stammtisch Deutsch.** Für alle, die Deutsch sprechen wollen. Jeden Dienstag um 18 Uhr im Café Immergrün. Für Studenten, Interessierte und Menschen aus aller Welt!

c) **Tanzakademie CIFUENTES** Das Programm „Kinderballett“ wird von Horacio Cifuentes geleitet. Horacio war 8 Jahre lang als Solist im San Francisco Ballet tätig sowie im American Ballet Theatre in New York. Sie finden uns in der Kurfürstenstr. 3, 10785 Berlin, www.oriental-fantasy.com

d) **Änderungsschneiderei SCHULZE.** Schnelle, günstige Änderungen, Reparaturen und vieles mehr! Gute Qualität! Straßmannstraße 35, Köln Neustadt-Süd

e) **Finden Sie sich zu dick?** Dann sind Sie bei uns genau richtig! Ohne Diät, ohne dauerhaftes Sporttraining, ohne Chemikalien und Chirurgie! Kommen Sie einfach vorbei! Dorfstraße 44, 36179 Bebra

f) **Tanzschule für Erwachsene Weimar Nord.** Egal ob Single oder mit Partner, alt oder jung, Anfänger oder Fortgeschrittene! Gesellschaftstanz, latein-amerikanische Tänze, orientalischer Tanz, Bollywood, Tango Argentino, Showtanz, Steptanz, klassisches Ballett! Hier findet jeder das Richtige! Sonderangebote ab Frühling: Hochzeitskurse! Mit Kinderbetreuung. Brennerstr. 4, 99423 Weimar, Tel: 036 43/44 34 67

g) **Wäscherei & Reinigung PUTZE.** Wir waschen, reinigen und bügeln Hemden, Krawatten, Anzüge, Hosen, Jacken, Wolle, Pelz, Gardinen, Teppiche und vieles mehr! Schnell, gut und günstig! Stauffenbergallee 5, 70188 Stuttgart, Tel.: 0711/46 98 87

h) **Feiern Sie Ihre Hochzeit in der Kulturstadt Weimar!** Unsere Hochzeitsagentur macht Ihren schönsten Tag im Leben unvergesslich! Tel: 036 43-45 15 28

i) **Durch ganz Europa mit unserer Fluggesellschaft!** Lassen Sie sich von unserem tollen Service und unseren Billigpreisen überraschen! Schon ab € 29,–. www.airfrankfurt.de

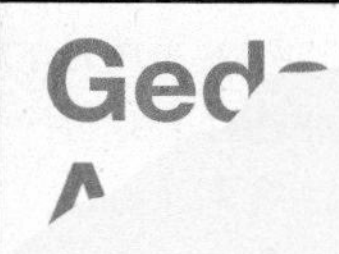

3 Männer – Frauen – Paare

1 Männer und Frauen

1 Was passt zu wem? **Sehen Sie sich die Collage an. Was verbinden Sie eher mit einem Mann, was eher mit einer Frau? Markieren Sie mit ♂ (männlich) oder mit ♀ (weiblich). Vergleichen Sie im Kurs.**

Ich denke, dass das Auto unbedingt zu einem Mann passt.

Nein, das finde ich nicht. Frauen fahren auch gern schnelle Autos.

Das stimmt.

Ich glaube (nicht), ...

♂ der Sportwagen

♂♀ das Handy

♀ der Kochtopf

♀ der Putzeimer

♀ das Parfüm und die Kosmetik

♀ der Buggy

♂♀ die Hantel

♂ der Werkzeugkasten

♂♀ der Korkenzieher

2 Männer sind anders. Frauen auch

Ü 1–2

a) **Sehen Sie sich die Fotos rechts an und lesen Sie die Texte auf Seite 47. Welches Foto passt zu welchen Zeilen?**

Hier lernen Sie

- über Männer, Frauen und Klischees sprechen
- Ihre Meinung sagen, zustimmen, widersprechen
- über Partnerschaftsprobleme sprechen
- Infinitiv mit *zu*
- Adjektive mit *un-* und *-los*
- lange und kurze Vokale erkennen
- Wdh.: Nebensätze mit *dass*

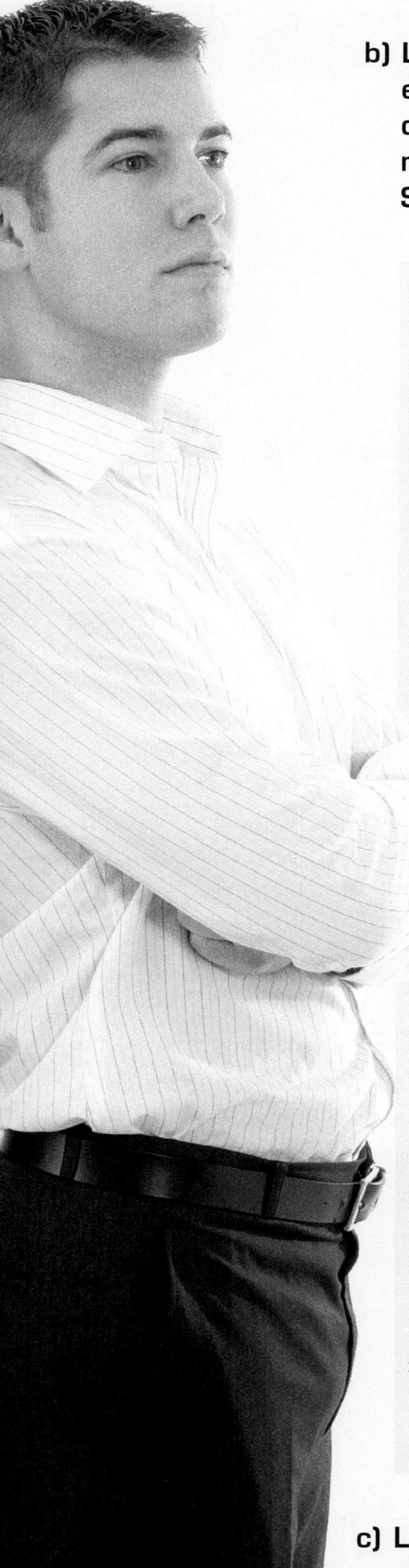

b) Lesen Sie die Texte noch einmal und notieren Sie die Aussagen, die Sie richtig finden. Vergleichen Sie im Kurs.

Männer reden nicht viel. ...

Frauen kaufen gern Schuhe. ...

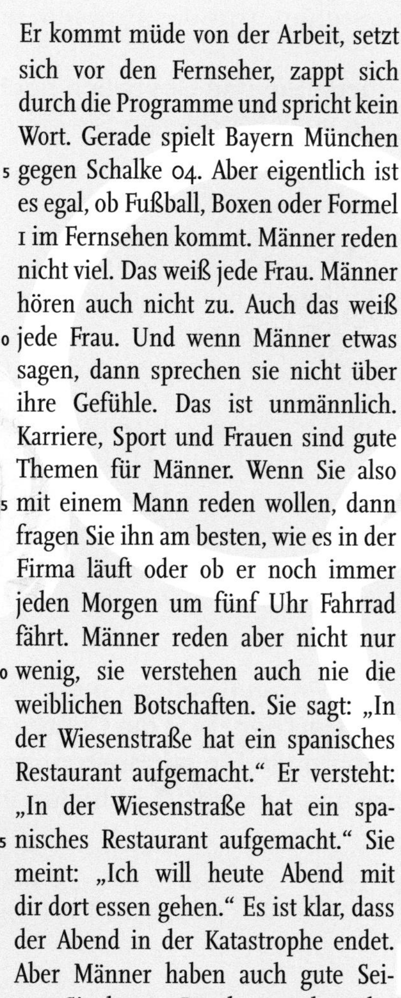

Typisch Mann ? Typisch Frau

Er kommt müde von der Arbeit, setzt sich vor den Fernseher, zappt sich durch die Programme und spricht kein Wort. Gerade spielt Bayern München gegen Schalke 04. Aber eigentlich ist es egal, ob Fußball, Boxen oder Formel 1 im Fernsehen kommt. Männer reden nicht viel. Das weiß jede Frau. Männer hören auch nicht zu. Auch das weiß jede Frau. Und wenn Männer etwas sagen, dann sprechen sie nicht über ihre Gefühle. Das ist unmännlich. Karriere, Sport und Frauen sind gute Themen für Männer. Wenn Sie also mit einem Mann reden wollen, dann fragen Sie ihn am besten, wie es in der Firma läuft oder ob er noch immer jeden Morgen um fünf Uhr Fahrrad fährt. Männer reden aber nicht nur wenig, sie verstehen auch nie die weiblichen Botschaften. Sie sagt: „In der Wiesenstraße hat ein spanisches Restaurant aufgemacht." Er versteht: „In der Wiesenstraße hat ein spanisches Restaurant aufgemacht." Sie meint: „Ich will heute Abend mit dir dort essen gehen." Es ist klar, dass der Abend in der Katastrophe endet. Aber Männer haben auch gute Seiten: Sie bauen Regale, waschen das Auto und gehen zur Arbeit. Das ist doch toll!

Sie will ihren VW Fox vor dem Haus in eine fünf Meter lange Parklücke einparken. Keine Chance! Frauen können nicht einparken. Das weiß jeder Mann. Frauen können sich auch nicht orientieren. In einer fremden Stadt finden sie jedes Schuhgeschäft, aber nicht ihr eigenes Auto wieder. Auch das weiß jeder Mann. Dafür reden Frauen gern. Jedes noch so kleine Problem wird mit der Mutter, der besten Freundin – oft stundenlang am Telefon –, den anderen Freundinnen, den Kolleginnen und natürlich mit dem Partner besprochen. Dass der Partner lieber Fußball schaut, kann eine Frau gar nicht verstehen. Frauen reden nicht nur ständig, sie kaufen auch gern ein. Schuhe, Kleider, Kosmetik. Jeder Mann kennt den Satz: „Schatz, ich habe nichts zum Anziehen." Wenn Sie also eine Frau glücklich machen wollen, dann gehen Sie mit ihr einkaufen. Ein wirkliches Problem ist, dass Frauen nie meinen, was sie sagen. Es ist zum Beispiel nicht in Ordnung, dass Sie sich mit Ihren Kumpels zum Bier treffen, auch wenn sie gesagt hat, dass es kein Problem ist. Aber Frauen haben auch gute Seiten: Sie machen den Haushalt, erziehen die Kinder und gehen zur Arbeit. Das ist doch toll!

c) Lesen Sie den Wörterbuchauszug. Finden Sie Klischees in den Texten.

Klischee, das; -s, -s *(franz.)*, eine ganz feste Vorstellung (↑ Vorurteil und ↑ Stereotyp), abgegriffene Redensart ⟨in Klischees denken⟩

20 Ü3

3 Eine Talkrunde

Eine Gesprächsrunde zum Thema „Männer hören nicht zu und Frauen können nicht einparken“ mit folgenden Teilnehmern: Ursula Birkner (Moderatorin), Emma Löscher (Neurologin) und Hans Ebert (Fahrlehrer)

a) Hören Sie die Diskussion und ordnen Sie die Aussagen den Personen zu. Vergleichen Sie im Kurs.

	Birkner	Löscher	Ebert
1. Ich habe das Gefühl, Frauen fahren anders als Männer.			
2. Es ist schwer, klare Aussagen zu dem Thema zu machen.			
3. Wenn man Angst vor etwas hat, übt man es auch nicht.			
4. Wir leben in Klischees und fühlen uns gut dabei.			
5. Ich höre genau zu, um zu verstehen, was das Problem ist.			

b) Lesen Sie die Redemittel. Hören Sie das Gespräch noch einmal. Welche der Redemittel kommen im Dialog vor? Markieren Sie sie.

Redemittel

seine Meinung ausdrücken

Ich denke/finde/glaube (nicht), dass … / Meiner Meinung nach … /
Ich glaube (nicht), … / Ich bin mir (nicht) sicher, …

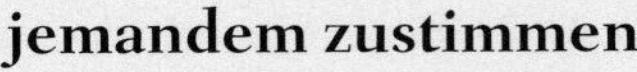

jemandem zustimmen

Da bin ich ganz deiner/Ihrer Meinung.
Das stimmt.
Da hast du / haben Sie Recht.
Das sehe ich auch so.
Ganz genau! / Na klar!

jemandem widersprechen

Ich bin nicht deiner/Ihrer Meinung.
Das ist nicht ganz richtig.
Da stimme ich dir/Ihnen nicht zu.
Das sehe ich nicht so (wie du/Sie).
Das kann man so nicht sagen.

4 Partnerspiel: Pro und Contra. „Männer sollten mehr im Haushalt tun.“

Ü4

Partner/in A hat die Pro-Karte, Partner/in B die Contra-Karte auf Seite 205. Lesen Sie die Argumente und sammeln Sie mindestens zwei weitere. Diskutieren Sie. Die Redemittel aus Aufgabe 3 b) helfen Ihnen.

Pro: Männer sollten mehr im Haushalt tun
- viele Frauen sind auch berufstätig
- Männer und Frauen sind gleichberechtigt – auch im Haushalt

Männer müssen mehr im Haushalt helfen.
Das sehe ich nicht so. Frauen arbeiten oft nur halbtags.

2 Paare erzählen

Zwei Paare im Interview

Ü5

a) Lesen Sie die Interviews. Zu welchem Paar passen die Aussagen?

... haben in der gleichen Firma gearbeitet. – ... möchten nicht heiraten. – ... sehen sich nur am Wochenende. – ... wollen bald Kinder.

b) Welche Interviewfragen wurden gestellt? Ergänzen Sie sie.

PARTNERSCHAFTEN HEUTE

Wir haben gefragt – Sina und Ludovic Legrand sowie Hanna Wickert und Peter Reincke haben geantwortet.

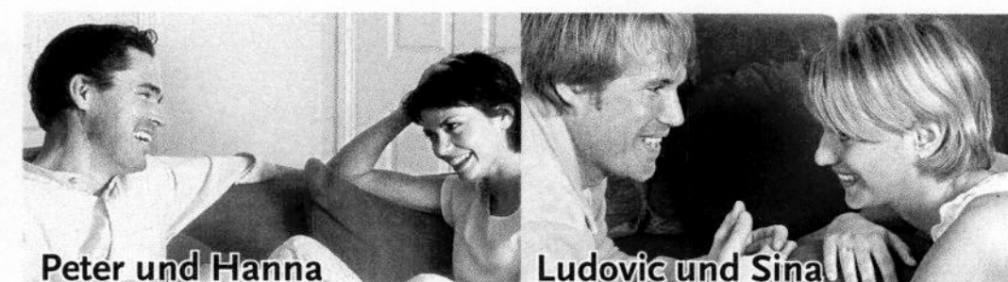

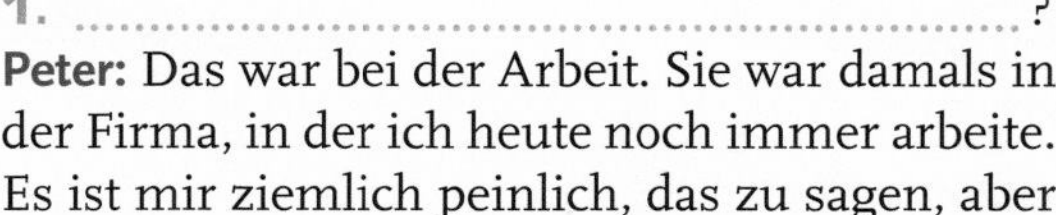

1. ....?
Peter: Das war bei der Arbeit. Sie war damals in der Firma, in der ich heute noch immer arbeite. Es ist mir ziemlich peinlich, das zu sagen, aber ich bin ihr wirklich drei Wochen lang hinterhergelaufen.
Hanna: Stimmt gar nicht, Peter. Wir haben uns auf einer Party kennen gelernt.
Sina: Wir haben uns im Sprachkurs in England kennen gelernt. Wir haben nur wenig Englisch gesprochen und mein Französisch war auch nicht so toll. Er konnte kein Deutsch.
Ludovic: Ich habe versucht, sie anzusprechen. Das war schwierig, aber auch lustig. Wir hatten am Anfang große Probleme mit der Sprache.

2. ....?
Ludovic: Wir sind seit viereinhalb Jahren zusammen, oder?
Sina: Stimmt. Und seit zwei Jahren verheiratet.
Hanna: Wir sind jetzt seit acht Jahren zusammen, aber nicht verheiratet. Ich bleibe mit Peter zusammen, auch ohne Trauschein.
Peter: Heiraten ist für uns nicht wichtig.

3. Worüber ....?
Peter: Es ärgert mich sehr, über Kleinigkeiten zu streiten. Zum Beispiel, wer den Müll runterbringt oder wer abwäscht.
Hanna: Ich mag es auch nicht, wegen jeder Sache zu streiten. Aber es ist wichtig, über wirkliche Probleme offen zu sprechen.
Ludovic: Wir streiten uns eigentlich sehr selten. Ich habe zum Beispiel keine Lust, über Geld zu streiten.
Sina: Manchmal gibt es Krach, weil Ludovic so viel arbeitet, sogar am Wochenende.

4. ....?
Peter: Für uns ist es am schwierigsten, uns nur am Wochenende zu sehen.
Hanna: Ich arbeite seit drei Jahren in Basel. Peter ist hier in unserem Haus in Bern. Aber wir telefonieren in der Woche jeden Tag.
Sina: Schwierigkeiten und Probleme? Na ja, für Ludovic war es am Anfang schwierig, einen Job zu finden. Er ist von Beruf Ingenieur.
Ludovic: Ich habe erst mal ein Jahr einen Intensivsprachkurs gemacht. Danach habe ich 40 Bewerbungen geschrieben. Jetzt arbeite ich in einer großen Baufirma.

5. ....?
Hanna: Ich hätte gern bald einen Jungen.
Peter: Und dann zwei Mädchen. Es wird sicherlich schwer, Hanna zu überreden, drei Kinder zu bekommen. Dass sie nicht meiner Meinung ist, kann ich natürlich verstehen.
Hanna: Ich habe keine Lust, die nächsten 20 Jahre Hausfrau und Mutter zu sein.
Ludovic: Über Kinder denken wir nach, ja.
Sina: Vielleicht in ein paar Jahren. Wer weiß.

6. ....?
Ludovic: Klar, ich vermisse besonders meine Freunde. Ich versuche aber, offen zu sein und mich anzupassen.
Sina: Am Anfang habe ich versucht, ihm zu helfen, aber das war eigentlich nicht nötig. Er hatte ja seine Kontakte im Sprachkurs. Problematisch war aber, dass er am Anfang sehr große Angst hatte, Fehler zu machen. Er hat sehr wenig gesprochen.
Hanna: Ich vermisse das Gefühl, Zeit für mich ganz alleine zu haben.

c) Vergleichen Sie die Paare und finden Sie Unterschiede und Gemeinsamkeiten.

Wo haben sie sich kennen gelernt?

Peter und Hanna ...

2

3 Infinitiv mit *zu*

1 Hast du Lust ...? Fragen Sie im Kurs.

Hast du Lust, ins Kino zu gehen?
Nein. Hast du Lust, schwimmen zu gehen?
Sehr gern. Hast du ...

Haben Sie Lust, Hast du Lust,	heute Abend am Wochenende morgen am Sonntag	fernzusehen? einen Salsakurs zu machen? eine Wanderung zu machen? ins Theater zu gehen? schwimmen zu gehen?

2 Infinitiv mit *zu* erkennen
Ü6

a) Ergänzen Sie die Sätze mit dem Text auf Seite 49.

1. Für Hanna ist es wichtig, über wirkliche Probleme *offen zu sprechen*.
2. Für Peter und Hanna ist es am schwierigsten, ...
3. Hanna hat keine Lust, die nächsten 20 Jahre ....
4. Ludovic versucht aber, offen ....
5. Ludovic hatte am Anfang große Angst, ...

b) Markieren Sie den Infinitiv mit *zu* in den Sätzen von a) und ergänzen Sie die Regel.

Regel Der Infinitiv mit *zu* steht oft ....

Bei .... Verben steht *zu* zwischen dem trennbaren Verbteil und dem Verbstamm.

3 Was Paare oft sagen. Üben Sie zu zweit Dialoge wie im Beispiel.
Ü7–8

Frau: Vergiss nicht, die Blumen zu gießen!
Mann: Aber ich habe sie schon gegossen.
Frau: Vergiss nicht ...

~~Blumen gießen~~ – staubsaugen – die Betten machen – die Wäsche waschen – das Bad putzen – das Auto sauber machen – den Müll runterbringen – die Flaschen wegbringen – den Abwasch machen

4 Paare streiten

1 Beziehungsprobleme

a) Sehen Sie sich das Foto an und beschreiben Sie die Situation.

b) Lesen Sie den Text und ordnen Sie die Überschriften den entsprechenden Zeilen zu.

Zeitmangel: Zeile 20–23 *Keine Kommunikation:* ....

Routine: .... *Negative Kritik:* ....

WARUM klappt es NICHT?

„Mein Mann war immer so unromantisch, manchmal fast gefühllos und schrecklich kompliziert", erzählt Jutta M. auf die Frage nach dem Grund ihrer Scheidung. Thomas P., ein junger Mann mit freundlichem Gesicht, ist seit zwei Monaten Single. „Meine Freundin war manchmal unehrlich und ich war viel zu unkritisch. Nach drei Jahren war Schluss." So mancher schaut den Partner an und fragt sich, wo denn die damals so sympathische, aufgeschlossene und humorvolle Person geblieben ist.

In einer Studie hat das Institut für Psychologie der Universität Göttingen über 50 000 Männer und Frauen im Alter zwischen 20 und 69 Jahren über die Probleme in ihrer Partnerschaft befragt. Hier sind vier Faktoren, an denen Beziehungen zerbrechen:

Viele haben den Traumpartner gefunden, aber sie sehen sich viel zu selten und sind unglücklich. Beide haben einen Job, einen großen Freundeskreis oder ein intensives Hobby und kaum Zeit für den anderen. Das kann oft zu einem Problem werden. Auch Routine kann dazu führen, dass eine Beziehung einschläft. Um zehn Uhr geht man ins Bett, dienstags ins Kino und am Wochenende trifft man sich mit den Eltern zu Kaffee und Kuchen. Das ist praktisch und bequem, aber gefährlich. Aber Routine ist nur ein Grund für das Scheitern einer Beziehung. Wenn es nur noch darum geht, besser zu sein als der Partner, wird die Partnerschaft zu einem Machtkampf. Für viele ist sinnlose Kritik ein Grund, die Partnerschaft zu beenden. Noch schlimmer als negatives Feedback ist es aber, wenn gar nichts mehr vom Partner kommt. Man redet entweder nicht mehr miteinander oder aneinander vorbei. Das hält keine Beziehung lange aus.

6.5 Ü9–10

2 Adjektive in Gegensatzpaaren. Ergänzen Sie das Gegenteil aus dem Text.

1. .... ≠ unkompliziert
2. gefühlvoll ≠ ....
3. ehrlich ≠ ....
4. kritisch ≠ ....
5. .... ≠ unsympathisch
6. .... ≠ humorlos
7. romantisch ≠ ....
8. glücklich ≠ ....
9. .... ≠ ungefährlich
10. sinnvoll ≠ ....

21

3 Lea, die Nudeln sind zu weich. **Hören Sie den Dialog. Achten Sie auf die Betonung.**

Lorenz: Lea, die Nudeln sind zu weich.
Lea: Ach Quatsch, Lorenz. Die sind genau richtig. Bissfest, wie immer.
Lorenz: Lea, wenn ich sage, dass die Nudeln zu weich sind, dann sind die Nudeln zu weich.
Lea: Und wenn ich dir sage, dass sie bissfest sind, dann sind sie bissfest.
Lorenz: Lea, ich finde, die Nudeln sind zu weich. Verstehst du, zu weich.
Lea: Also ich denke, die Nudeln sind genau richtig. Bissfest, al dente, va bene.
Lorenz: Nein, die Nudeln sind nicht bissfest. Man braucht keine Zähne für diese Nudeln.
Lea: Jetzt spinnst du aber, Lorenz. Die sind bissfest. Basta.
Lorenz: Wie lange hast du sie denn gekocht, Lea?
Lea: Sieben Minuten, Lorenz. Sieben! Wie es auf der Packung steht. Sieben kurze Minuten.
Lorenz: Hast du auf die Uhr geschaut?
Lea: Ich schaue nicht auf die Uhr, Lorenz. Das weißt du. Ich habe das im Gefühl.
Lorenz: Gefühl hin oder her. Bissfeste Nudeln kleben nicht. Diese hier kleben aber.
Lea: Okay. Sie kleben. Und jetzt gib Ruhe.

4 Lange und kurze Vokale

Ü12

22

a) Hören und markieren Sie.

Nudeln – Quatsch – Lorenz – bissfest – immer – verstehen – spinnen – lang – kochen – wie – Packung – sieben – kurz – Minuten – Gefühl – kleben

23

b) Hören Sie die Sätze und sprechen Sie nach.

c) Lesen Sie den Dialog zu zweit und variieren Sie Ihren Ton: Spielen Sie Lorenz schüchtern oder nervös und Lea energisch oder naiv, oder …

5 Kreatives Schreiben

a) Sehen Sie sich das Bild an und schreiben Sie eine Geschichte. Beantworten Sie dabei die W-Fragen. Geben Sie der Geschichte einen Titel.

- Wer?
- Wann?
- Wo?
- Was?
- Warum?

b) Lesen Sie Ihre Geschichte im Kurs vor.

5 Verliebt …?

24

1 Aurélie. **Hören Sie das Lied und lesen Sie den Text. Beantworten Sie die Fragen.**

1. Wo kommt Aurélie her?
2. Worauf wartet sie?
3. Warum klappt das mit den Männern nicht?

Aurélies Akzent ist ohne Frage sehr charmant
Auch wenn sie schweigt, wird sie als wunderbar erkannt
Sie braucht mit Reizen nicht zu geizen
denn ihr Haar ist Meer und Weizen[1]
Noch mit Glatze[2] fräß[3] ihr jeder aus der Hand

Doch Aurélie kapiert[4] das nie
Jeden Abend fragt sie sich
wann nur verliebt sich wer in mich

Aurélie, so klappt das nie
Du erwartest viel zu viel
Die Deutschen flirten sehr subtil

Aurélie, die Männer mögen dich hier sehr
Schau, auf der Straße schaut dir jeder hinterher
Doch du merkst nichts, weil sie nicht pfeifen
und, pfeifst du selbst, die Flucht ergreifen
Du mußt wissen, hier ist weniger oft mehr

Ach Aurélie, in Deutschland braucht die Liebe Zeit
Hier ist man nach Tagen erst zum ersten Schritt bereit
Die nächsten Wochen wird gesprochen
sich auf's Gründlichste berochen[5]
und erst dann trifft man sich irgendwo zu zweit

Aurélie, so klappt das nie …

Aurélie, so einfach ist das eben nicht
Hier haben andre Worte ein ganz anderes Gewicht
All die Jungs zu deinen Füßen
wollen dich küssen, auch die Süßen
aber du du merkst das nicht
wenn er dabei von Fußball spricht

…

Aurélie, so klappt das nie …

Musik: J. Holofernes, J.-M. Tourette, P. Roy / Text: J. Holofernes

1 ein gelbes Getreide – 2 keine Haare auf dem Kopf –
3 aus der Hand fressen = ganz lieb sein – 4 kapieren = verstehen –
5 beriechen = beschnuppern, riechen

Landeskunde

Die junge Berliner Pop-Band *Wir sind Helden,* bestehend aus Judith Holofernes, Pola Roy, Mark Tavassol und Jean-Michel Tourette, verkauften 2002 ein selbst hergestelltes Mini-Album bei Konzerten. Einige Radiosender wurden aufmerksam und spielten das Lied „Guten Tag". Ein Video wurde produziert und die Band kam ins Fernsehen. Das Debütalbum der Band, „Die Reklamation", an dem die großen Plattenfirmen eigentlich kein Interesse hatten, wurde bisher 500 000-mal verkauft. Im Jahr 2004 bekam die Band gleich drei Echo-Preise. 2006 erschien das zweite Album „Von Hier An Blind".

2 Ihr Lied. **Gibt es ein Liebeslied, das Sie besonders mögen? Recherchieren Sie und stellen Sie es im Kurs vor.**

3 Liebe ist …

a) Lesen Sie die Meinungen über die Liebe. Welche Aussage gefällt Ihnen besonders gut, welche nicht?

b) Und was ist Liebe für Sie?

Übungen 3

1 Frauensache oder Männersache – Ländervergleich

a) Suchen Sie in der Statistik Wörter, die zu den Erklärungen passen, und notieren Sie sie.

1. einen Job haben .... *Erwerbstätigkeit*
2. sich um die Kinder kümmern ....
3. Informationen über die Situation in den Familien ....
4. z. B. die Wohnung sauber machen, kochen ....

b) Sehen Sie sich die Grafik an. Welche Aussagen sind richtig? Kreuzen Sie an und korrigieren Sie die falschen Sätze.

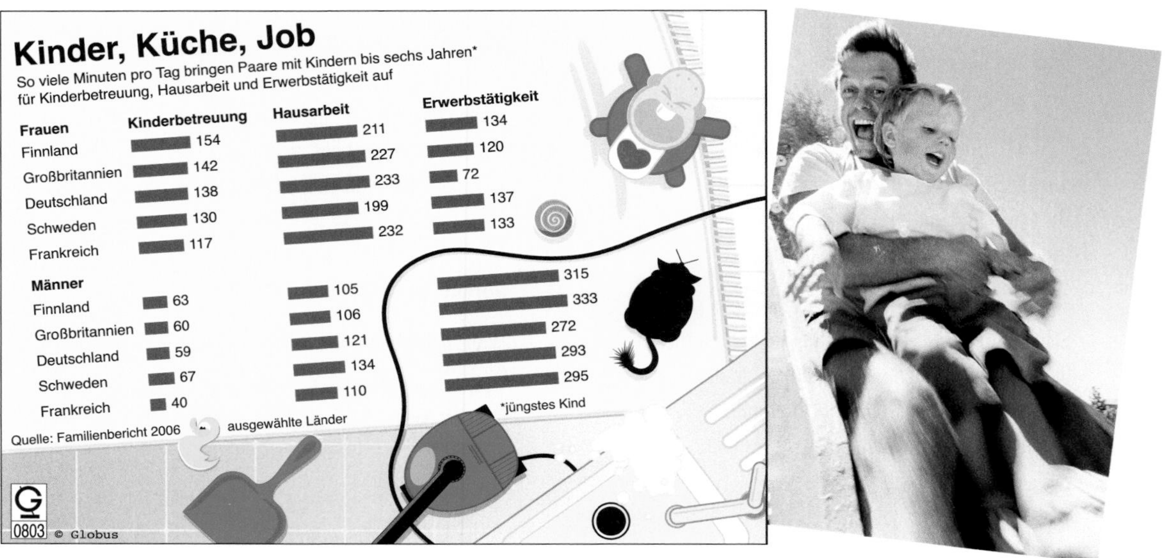

1. ☐ Die Grafik zeigt, wie viele Minuten Frauen und Männer pro Tag mit Kindern, Küche und Job verbringen.
2. ☐ Der Familienbericht ist aus dem Jahr 2006.
3. ☐ Britische Frauen verbringen weniger Zeit mit ihren Kindern als finnische Männer.
4. ☐ Französische Männer verbringen mit 295 Minuten die meiste Zeit im Job.
5. ☐ Deutsche Frauen arbeiten mehr als doppelt so lange im Haushalt als französische Männer.
6. ☐ Finnische Frauen verbringen mehr Zeit mit Erwerbstätigkeit als schwedische Frauen.
7. ☐ Schwedische Männer sind am fleißigsten im Haushalt.
8. ☐ Männer verbringen mehr Zeit im Haushalt als mit ihren Kindern.

c) Lesen Sie den Text und ergänzen Sie ihn. Die Grafik aus Aufgabe b) hilft Ihnen.

weniger – mehr – am meisten – am wenigsten – viel

Wir alle haben es gewusst: Männer verbringen .... Zeit mit der Erwerbstätigkeit als mit Hausarbeit und Kinderbetreuung. Frauen verbringen zwar .... Zeit im Job als Männer, machen aber .... im Haushalt. Was der Ländervergleich auch zeigt: Frauen beschäftigen sich .... mit den Kindern, die Männer leider ....

2 Männer und Frauen – der kleine Unterschied?

a) Diese Wörter stehen im Text. Was bedeuten sie?

Umgebung – Himmelsrichtungen – Geschlechter – ~~Strategie~~ – Orientierungssinn – Wissenschaftler/in

1. Jemand sucht in einer Stadt etwas und orientiert sich dabei z. B. an Häusern. Das ist eine ...Strategie... .
2. Norden, Süden, Osten und Westen sind die vier ....
3. Das Gebiet um einen Ort nennt man auch ....
4. Wenn man den Weg leicht findet, hat man einen guten ....
5. „Männlich und weiblich“, das sind die beiden ....
6. Eine Person, die in der Forschung arbeitet, ist ein/e ....

b) Lesen Sie den Text. Welche Überschrift passt am besten? Kreuzen Sie an.

- ☐ **Warum haben Männer den besseren Orientierungssinn?**
- ☐ **Männer und Frauen haben unterschiedliche Orientierungsstrategien**
- ☐ **Frauen haben den besseren Orientierungssinn!**

dpa. Wissenschaftliche Studien zur Orientierungsfähigkeit zeigen, dass Frauen sich in einer fremden Umgebung genauso gut orientieren wie Männer. In einer Untersuchung sollten Männer und Frauen die Himmelsrichtungen in einem fensterlosen Raum angeben. Das Ergebnis: Beide Geschlechter hatten Probleme. Es ist ein Klischee, dass Frauen sich nicht in der Stadt orientieren können. Beide Geschlechter haben genauso oft Probleme, das Auto in einer fremden Stadt zu finden. Einen Unterschied gibt es aber doch: Männer orientieren sich anders als Frauen. Man hat untersucht, welche Strategien Männer und Frauen wählen. Frauen erinnern sich meistens an Objekte, das heißt, sie achten auf Punkte in der Landschaft wie zum Beispiel Häuser. Männer orientieren sich oft an abstrakten Informationen, also zum Beispiel an den Himmelsrichtungen. „Der vielleicht klarste Unterschied zwischen Männern und Frauen ist also die Art und Weise, wie sie Orientierungsprobleme lösen“, sagen die Wissenschaftler.

c) Ordnen Sie die Informationen nach der Reihenfolge im Text in Aufgabe b).

- ☐ Bei einem Orientierungstest hatten Männer und Frauen die gleichen Probleme.
- ☐ Frauen orientieren sich an Objekten, Männer an den Himmelsrichtungen.
- 1 Untersuchungen zeigen, dass Männer und Frauen sich gleich gut orientieren können.
- ☐ Zwischen Männern und Frauen gibt es aber trotzdem einen kleinen Unterschied.
- ☐ Sie wählen unterschiedliche Strategien, um sich zu orientieren.
- ☐ Es ist also falsch, dass Männer nie ihr Auto suchen.

3 Diskussion Single-Leben

14

a) Hören Sie die Radiosendung. Wer findet das Single-Leben toll (+), wer nicht (–)? Markieren Sie.

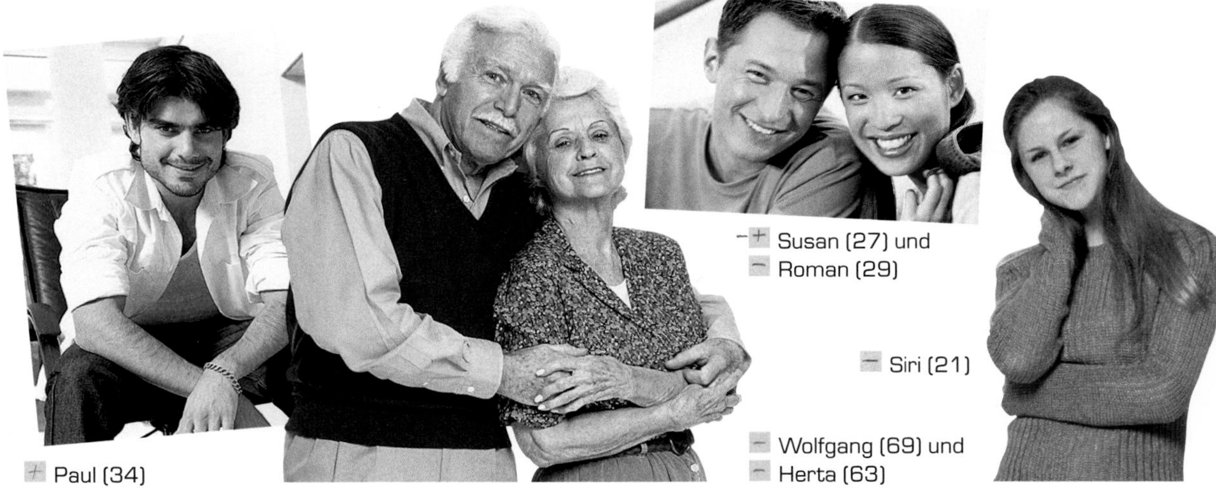

b) Hören Sie die Sendung noch einmal. Ordnen Sie die Aussagen zu.

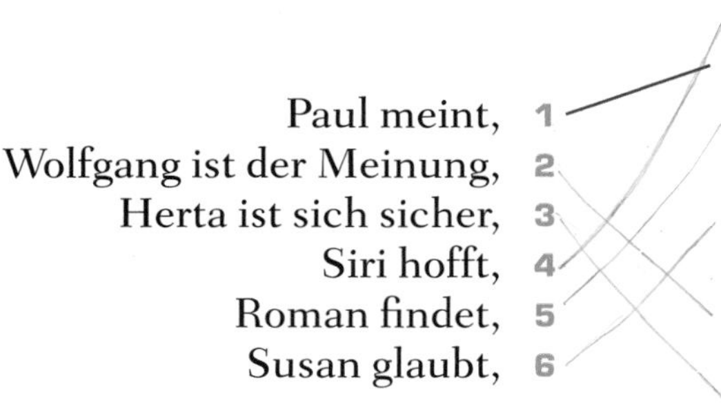

Paul meint, 1
Wolfgang ist der Meinung, 2
Herta ist sich sicher, 3
Siri hofft, 4
Roman findet, 5
Susan glaubt, 6

a endlich einen tollen Mann zu finden.
b dass man als Single viel mehr Freiheiten hat.
c dass jeder nach zwei, drei Single-Jahren einen Partner will.
d dass es viele Singles gibt, die keine Lust auf Beziehung haben.
e dass man auch mit einem Partner Hobbys haben kann.
f dass Singles eigentlich nur einsam und auf der Suche sind.

4 Vier Meinungen – Zustimmung und Widerspruch

a) Ordnen Sie die Redemittel zu.

Da stimme ich dir nicht zu. – Das kann man so nicht sehen. – Na klar! – Das stimmt doch nicht. – Da haben Sie Recht. – ~~Ganz genau!~~ – Da bin ich mir nicht sicher. – Ich bin ganz Ihrer Meinung. – Finde ich auch. – Das ist nicht richtig.

Zustimmung ☺	Widerspruch ☹
Ganz genau!	....

b) Stimmt das? Schreiben Sie mit den Redemitteln aus Aufgabe a) Kommentare.

Jeder möchte einen Partner haben.

Frauen leben gesünder als Männer.

Männer sind klüger als Frauen.

Frauen sind lustiger als Männer.

Es stimmt doch nicht, dass ...

15

5 Ingeborg und Gerthold erzählen

a) Hören Sie das Gespräch. Welche Aussagen sind richtig? Kreuzen Sie an.

1. Ingeborg und Gerthold sind fast 20 Jahre verheiratet.
2. Gerthold und Ingeborg haben fünf Kinder.
3. Ursula, die älteste Tochter, ist Physiotherapeutin.
4. Gerthold hat bis zur Rente als Elektriker gearbeitet.
5. Ingeborg war Hausfrau und Schneiderin.
6. Gerthold kocht oft für seine Frau.

b) Hören Sie das Gespräch noch einmal und korrigieren Sie die falschen Aussagen.

1. Ingeborg und Gerthold sind fast 50 Jahre verheiratet.

6 Was Männer alles versuchen, um den Frauen zu gefallen

a) Lesen Sie. Was passt zu den Bildern? Ordnen Sie zu.

a

im Haushalt helfen 1 *b*

Karriere machen 2

den Wocheneinkauf erledigen 3

täglich trainieren 4 *a*

auf die Kinder aufpassen 5 *d*

bei der Geburt helfen 6 *c*

Gefühle zeigen 7

ein leckeres Menü kochen 8 *b*

b

c

d

b) Schreiben Sie Sätze wie im Beispiel.

1. Männer versuchen, im Haushalt zu helfen.
2. Männer versuchen, ...

7 Beim Eheberater.

Was sagt Petra über Carlos? Was sagt Carlos über Petra? Schreiben Sie mindestens vier Sätze für jede Person.

Er vergisst ständig, den Müll wegzubringen.
Sie hat nie Lust, abends wegzugehen.
EHE

(keine/nie) Lust haben – (keine/nie) Zeit haben – (kein/nie) Interesse haben – oft/ständig vergessen

abwaschen – den Müll wegbringen – das Kind zum Klavierunterricht fahren – mir zuhören – offen reden – Sport machen – abends weggehen – mir im Haushalt helfen

Carlos: Petra hat nie Lust, abends wegzugehen.

8 **Was ist langweilig, schwer, gefährlich …? Bilden Sie Sätze mit dem Infinitiv mit *zu*.**

1. Es ist langweilig, (den ganzen Tag fernsehen).
2. Es ist schwer, (in eine neue Stadt umziehen und neue Leute kennen lernen).
3. Es ist unmöglich, (alles wissen).
4. Es ist gefährlich, (pro Tag 20 Zigaretten rauchen).
5. Es ist leicht, (einen Termin per SMS vereinbaren).
6. Es ist interessant, (eine neue Sprache lernen).

1. Es ist langweilig, den ganzen Tag fernzusehen.

9 Tamara sucht einen Partner

a) Lesen Sie, was Tamara über sich sagt. Was ist richtig? Kreuzen Sie an.

Hallo, ich heiße Tamara und bin 31 Jahre alt. Ich bin ein humorvoller Mensch. Ich lache gern. Und romantisch bin ich auch, sehr sogar. Ein Abendessen bei Kerzenlicht, mit schöner Musik – das finde ich klasse. Ich arbeite sehr viel. Aber am Wochenende unternehme ich mit meinen Freunden immer etwas. Und wenn sie Probleme haben, versuche ich, für sie da zu sein. Meine Freunde sagen, ich bin ein gefühlvoller und netter Mensch. Mein Freund muss auf jeden Fall ehrlich sein und nicht über 40. Und unsportlich wie ich! Ich liebe mein Auto und hasse Sport!

1. ☒ Sie versteht Spaß, lacht gern und ist ein humorvoller Mensch.
2. ☐ Tamara denkt, dass sie ziemlich unromantisch ist.
3. ☐ Sie arbeitet auch am Wochenende.
4. ☒ Sie ist ein gefühlvoller Mensch.
5. ☒ Es ist ihr wichtig, dass ihr Freund ehrlich ist.
6. ☐ Sie liebt Sport und hasst Autos.

b) Was sagt Tamara über sich? Schreiben Sie Sätze mit *dass*.

Tamara sagt, dass sie 31 Jahre alt ist.
Sie denkt, dass sie …

10 Die Flirt-Homepage

a) Tamara findet drei interessante Anzeigen auf der Flirt-Homepage. Lesen Sie die Anzeigen. Wer passt am besten zu ihr? Kreuzen Sie an.

b) Unterstreichen Sie alle Adjektive in den Anzeigen und ergänzen Sie das Gegenteil.

sportlich – unsportlich
humorvoll – ...

11 Das bin ich. Schreiben Sie Ihren Namen und finden Sie für jeden Buchstaben ein Adjektiv, das zu Ihnen passt.

neTT
romAntisch
huMorvoll
prAktisch
unsporRtlich
Attraktiv

12 Lange und kurze Vokale

16

a) Hören Sie und markieren Sie: lang (_) oder kurz (.).

a	e	i	o	u
sympathisch	bequem	sicher	erfolgreich	ruhig
romantisch	nett	effektiv	humorvoll	unruhig

ä	ö	ü
zärtlich	fröhlich	gefühlvoll
hässlich	östlich	glücklich

17

b) Hören Sie und sprechen Sie nach.

Mein Traummann? Er ist zärtlich und gefühlvoll, erfolgreich und romantisch.
Meine Traumfrau? Sie ist ruhig und sympathisch, humorvoll und erfolgreich.

Das kann ich auf Deutsch

über Männer, Frauen und Klischees sprechen

Männer reden nicht viel. Frauen können nicht einparken. Ich denke, das ist ein Klischee. Frauen fahren auch gern schnelle Autos.

seine Meinung sagen, zustimmen, widersprechen

Da bin ich ganz deiner Meinung. Da hast du Recht.
Das kann man so nicht sehen.

über Partnerschaftsprobleme sprechen

Wir hatten am Anfang große Probleme mit der Sprache.
Meistens streiten wir darüber, wer den Haushalt macht.
Ein Grund für das Scheitern einer Beziehung ist Routine.

Wortfelder

Partnerschaft, Streit

der Trauschein, verheiratet sein, ehrlich, romantisch
der Zeitmangel, die Routine, die negative Kritik, kompliziert
über Geld/Haushalt/Kleinigkeiten streiten

Grammatik

Infinitiv mit *zu*

Es wird schwer, sie **zu überreden**.
Hast du Lust, am Wochenende ins Theater **zu gehen**?
Vergiss nicht **staubzusaugen**!

Adjektive in Gegensatzpaaren mit *un-* und *-los*

gefühlvoll – gefühl**los**
sympatisch – **un**sympatisch

Wiederholung

Nebensätze mit *dass:* Ich meine, **dass** die Nudeln zu weich sind.

Aussprache

lange und kurze Vokale

Wie lange hast du denn die Nudeln gekocht? Sieben kurze Minuten.
Bissfeste Nudeln kleben nicht.

18

Laut lesen und lernen

Typisch Mann! Da stimme ich Ihnen nicht zu. Ganz genau! Jetzt spinnst du aber! Hast du Lust, ins Kino zu gehen? Nein, aber hast du Lust ...? Vergiss nicht, die Blumen zu gießen!

Zertifikatstraining

15

Leseverstehen, Teil 1 (Globalverstehen)

Lesen Sie zuerst die vier Texte und dann die acht Überschriften. Welche Überschrift (a–h) passt am besten zu welchem Text (1–4)? Zu jedem Text passt nur eine Überschrift! Sie haben ca. 15 Minuten Zeit.

a) **Immer öfter: spätes Mutterglück**

b) **Neu: Das Handy nur zum Telefonieren!**

c) **Nachts günstig durch ganz Deutschland!**

d) **Mit einem Lächeln gewonnen**

e) **Billig durch zwei Bundesländer!**

f) **Neue Misswahl in Österreich**

g) **Frauen, die studiert haben, wollen keine Kinder**

h) **Der Computer für die Handtasche**

1

....

....

Technik. Sie wollen mit Ihrem Handy einfach nur telefonieren? Oh nein! Mit den neuen Mobiltelefonen kann man auch fotografieren, filmen, Musik oder Radio hören, Videos ansehen, Gespräche aufnehmen, E-Mails checken und sogar im Internet surfen. Die sogenannten Smartphones sind Mobiltelefon, MP3-Player und Mini-Notebook in einem.

2

....

Kultur. Léontine Vallade wurde in Genf zur „Miss Altersheim" gewählt. Sie ist die erste Schweizerin, die diesen Titel bekommen hat. Neun Frauen aus sechs Senioren-Wohnheimen nahmen an der Misswahl teil. Léontine Vallade überzeugte die Jury durch ihr herzliches Lächeln. Alle Teilnehmerinnen mussten älter als 70 Jahre sein und noch ohne Hilfe gehen können. Sie stellten sich zuerst vor, dann erzählten sie von ihren Hobbys und ihrer Familie, ihrem verrücktesten Wunsch und ihrer Lieblingsblume. Die Siegerin gewann ein Essen in einem Luxusrestaurant.

3

....

....

Reisen. Mit dem Hopper-Ticket können Sie in Thüringen und Sachsen-Anhalt von jedem Bahnhof bis zu 50 Kilometer weit hin- und zurückfahren. Das Ticket gilt für eine Person und kostet online oder aus dem Automaten sechs Euro, am Schalter sieben Euro. Das Hopper-Ticket gilt für eine Hin- und Rückfahrt am gleichen Tag, Montag bis Freitag von 9.00 bis 3.00 Uhr, Samstag, Sonn- und Feiertag ganztägig und nur in der 2. Klasse der Nahverkehrszüge.

4

....

....

Statistik. Noch Anfang der 80er-Jahre waren Frauen selten über 30, wenn sie das erste Kind bekamen. Heute ist ein Viertel aller Schwangeren über 35 Jahre alt. Besonders bei Frauen mit Hochschulabschluss ist die Zahl der über 40-Jährigen, die zum ersten Mal schwanger sind, besonders hoch. Eine gute Ausbildung und finanzielle Unabhängigkeit sind die wichtigsten Bedingungen für das Ja zum Kind. Wenn die medizinische Versorgung stimmt, ist die Chance, ein gesundes Kind zur Welt zu bringen, fast genauso groß wie bei jüngeren Frauen.

4 Deutschlands größte Stadt

1 Industrieregionen früher und heute – das Ruhrgebiet

1 **Landeskunde Ruhrgebiet.** Sehen Sie sich die Collage an. Was erfahren Sie über das Ruhrgebiet? Woher kommt der Name?

Taubenzüchter

Technologiezentrum Dortmund

Lange Nacht der Industriekultur 2006

Die Karte zeigt ...

Im Ruhrgebiet gibt es ...

Auf dem Bild (c) sieht man ...

Hier lernen Sie

- die Geschichte einer Region kennen
- Regionen und Orte beschreiben
- über Arbeitsunfälle/Versicherungen sprechen
- Adjektive vor dem Nomen
- Wörter im Dialekt verstehen
- Verkleinerungsformen: *Haus – Häuschen*
- Adjektivendungen durch Sprechen lernen
- Wdh.: Adjektive ohne Artikel (Nom. + Akk.)

e – Bergarbeiter im Ruhrgebiet, 1946

f – Förderturm Zeche Zollverein – Kulturzentrum in Essen

g – Einkaufszentrum Oberhausen

h – Schalke-Fans in der Veltins-Arena

i – Stahlwerk bei Nacht

2 Wörter aus dem Ruhrgebiet. Welche Wörter können Sie den Fotos zuordnen?

Ü1

1 **das Revier, der Pott:** Name für das Ruhrgebiet, hier wird Kohle „abgebaut", das heißt: man holt Kohle aus der Erde
2 **unter Tage arbeiten:** in einem Bergwerk, unter der Erde arbeiten
3 **die Zeche / das Bergwerk:** hier baut man Kohle, Metall oder Mineralien ab
4 **der Kumpel:** 1. Bergmann: jemand, der in einem Bergwerk arbeitet, 2. Kamerad, Freund
5 **malochen, der Malocher:** schwer arbeiten, der Schwerarbeiter
6 **der Schrebergarten:** Kleingarten in einer Gartenkolonie
7 **das Rennpferd des kleinen Mannes:** Name für Brieftaube
8 **auf Schalke gehen:** ein Fußballspiel vom FC Schalke 04 im Stadion sehen

3 Erlebte Geschichte. Andrea Kowalski spricht über ihre Familie. Welche Bilder passen dazu?

25

4 Industrieregionen früher und heute. Kennen Sie Beispiele in Ihrem Land?

2 Entstehung und Wandel einer Industrieregion

1 Einen Informationstext bearbeiten

a) Lesen Sie den Text. Markieren Sie fünf unbekannte Wörter. Suchen Sie nach Informationen, die Ihnen helfen, die Wörter zu erklären.

Das Ruhrgebiet

Entwicklung einer Industrieregion

Vom Dorf zur Stadt – die größte Industrieregion Deutschlands entsteht

Das Ruhrgebiet ist eine der größten Industrieregionen Europas. Es liegt zwischen den kleinen Flüssen Ruhr und Lippe östlich des Rheins. Zum Ruhrgebiet gehören u. a. die Städte Bochum, Duisburg, Essen, Oberhausen und Dortmund. Insgesamt hat das Ruhrgebiet heute fast sechs Millionen Einwohner. Das heißt: Fast 10 % der Bevölkerung Deutschlands leben hier.

Deutsch-polnische Belegschaft der Zeche „Graf Schwerin"

Die Geschichte des Ruhrgebiets ist auch die Geschichte der Industrialisierung Deutschlands. Im 19. Jahrhundert begann sie mit dem Abbau der Kohle, des „schwarzen Goldes". 1850 hatte Dortmund 4000 Einwohner, um 1900 waren es 143 000. Aus dem Städtchen war eine Großstadt geworden. Die Geschichte des Ruhrgebiets ist auch eine Geschichte der Arbeitsmigration. In den großen Zechen und für die Stahlproduktion brauchte man Arbeitskräfte. Sie kamen vom Land oder aus dem Ausland und zogen in die kleinen Häuschen in den Bergarbeitersiedlungen, die von den Firmen gebaut wurden. Bis 1914 waren schon 700 000 Menschen aus dem europäischen Ausland, vor allem aus Polen, aber auch aus den Niederlanden, Österreich/Ungarn und aus Italien an die Ruhr gekommen. Sie wollten bei den großen Kohle- und Stahlkonzernen, zum Beispiel bei Krupp und Thyssen, Arbeit finden und ein neues Leben beginnen. In den 60er und

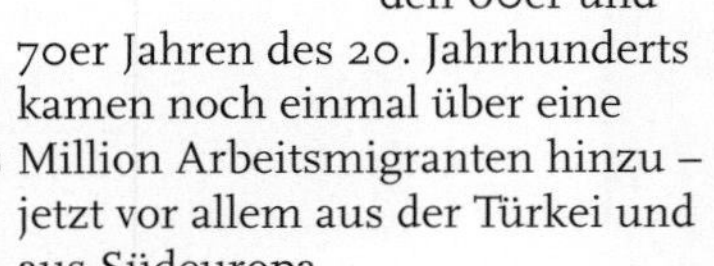

70er Jahren des 20. Jahrhunderts kamen noch einmal über eine Million Arbeitsmigranten hinzu – jetzt vor allem aus der Türkei und aus Südeuropa.

Die Arbeit in der Stahlindustrie und „unter Tage" war anstrengend, ungesund und schmutzig. Noch bis 1859 dauerte der Arbeitstag auch für Kinder mindestens 12 Stunden. Bis zur Sozialgesetzgebung Bismarcks (1883) gab es keine Sozialversicherungen, aber jeden Tag schwere Arbeitsunfälle. Mit 40 waren die meisten Malocher krank und verbraucht. Freizeit war für sie ein Fremdwort. Ein paar Bierchen am Feierabend in der Stammkneipe, das war's. Ein beliebtes Hobby waren die Brieftauben – die „Rennpferde des kleinen Mannes". Die wenigen freien Tage verbrachte man in der Gartenkolonie. Das Schrebergärtchen war für die ganze Familie wichtig: Die Kinder hatten einen Platz zum Spielen und in schlechten Zeiten gab es genug Kartoffeln und Gemüse. Samstagnachmittags ging man „auf Schalke", das heißt ins Stadion. Fußball war und ist schon immer etwas Besonderes im Revier. Die Kumpel waren treue Fans ihrer Vereine.

Kinderarbeit im Bergbau, 1908

b) In welcher Reihenfolge informiert der Text über die folgenden Themen?

a) die Arbeitsmigration
b) Freizeit im Ruhrgebiet
c) die geografische Lage des Ruhrgebiets
d) die Arbeitsbedingungen im Bergbau

c) In welchen Zeilen finden Sie die Informationen? **Zeile(n)**

1. Durch das Ruhrgebiet fließen mehrere Flüsse. ....
2. Schon Anfang des 20. Jahrhunderts gab es viele ausländische Arbeiter im Ruhrgebiet. ....
3. Die Arbeitszeiten waren für Kinder und Erwachsene gleich lang. ....

2 Ü2 **Eine Region geografisch beschreiben. Sehen Sie sich die Karte auf Seite 62 an. Beschreiben Sie die Lage von Duisburg, Dortmund und Gelsenkirchen.**

Redemittel

Die Stadt liegt zwischen den Flüssen … / an der Ruhr / am … / (20) km östlich von … / in der Nähe von … / südlich von … / nordwestlich von Düsseldorf / bei Bochum.
liegt im Bundesland Nordrhein-Westfalen / im Rheintal.

3 **Wortschatzarbeit. Ordnen Sie die Definitionen Wörtern im Text zu.**

a) vor 65 mit der Arbeit aufhören – b) der Wirtschaft geht es besser, Gegenteil von Krise – c) hier wird Stahl produziert – d) der Dienstleistungsbereich – e) die Bundesliga

VON DER STAHLFABRIK ZUR TRAUMFABRIK

Krieg und Nachkriegszeit im Revier

Im 2. Weltkrieg wurde das Ruhrgebiet schwer bombardiert und viele Städte wurden fast komplett zerstört. Nach 1945 kam der wirtschaftliche Aufschwung. Doch schon Mitte der 60er Jahre begann die Wirtschaftskrise. Kohle und Stahl aus Asien und Südamerika waren jetzt billiger als die deutschen Produkte. Viele Zechen und Stahlwerke mussten schließen. Die Arbeitslosigkeit stieg. Viele Kumpel schulten um oder mussten in Frührente gehen.

Das neue Ruhrgebiet

Viele Industrieanlagen wurden Museen und Kulturzentren, z. B. die Zeche Zollverein. Es entstanden auch neue Berufe, vor allem in den Bereichen Medien, Bildung und Handel. Medienfirmen produzierten z. B. Filme in ehemaligen Stahlwerken. In Bochum, Essen, Duisburg und Dortmund wurden in den 70er Jahren neue Universitäten gegründet. Heute arbeiten über 60 Prozent der Menschen im Ruhrgebiet im Dienstleistungsbereich.

Freizeit im Revier heute

Mit dem Ende der Schwerindustrie ist die Region sauberer geworden und das Ruhrgebiet ist ein attraktives Reiseziel: Es gibt überall Badeseen und neue Freizeitparks, Fußgängerzonen und große Kinozentren und – mehr Fußballmannschaften in der 1. Bundesliga als in jeder anderen Region Deutschlands! In den großen Fußballstadien in Dortmund und Gelsenkirchen-Schalke finden aber auch immer mehr Popkonzerte und andere Veranstaltungen statt.

4 Ü3–4 **Zusammenfassung. Sammeln Sie Informationen aus den Texten auf den Seiten 64 und 65. Schreiben Sie eine kurze Zusammenfassung zu den Veränderungen des Ruhrgebiets.**

	Bevölkerung	Arbeit	Freizeit
früher			
heute			

5 Ü5 **Landeskunderecherche. Wählen Sie ein Stichwort und suchen Sie im Internet Informationen. Berichten Sie.**

FC Schalke 04 und die Arena – die Zeche Zollverein – die Brieftaubenzucht – der Schrebergarten

Internettipp
www.ruhr-guide.de

3 Arbeitsunfälle

1 Zwei Arbeitsunfälle. Sehen Sie sich die Zeichnungen an. Was ist passiert?

Tanja

Marco

2 Warnhinweise. Welche Schilder passen zu den Unfällen von Tanja und Marco?

a 
Achtung: Gift!

b 
Feuerlöscher

c 
Achtung: glatt!

d 
Stolpergefahr!

e 
Achtung: Strom!

3 Berufsgenossenschaften

Ü6

a) Lesen Sie den Text. Beantworten Sie die Frage in der Überschrift.

Berufsgenossenschaft – was ist denn das?

Mit dieser Frage mussten sich Tanja und Marco beschäftigen. Und das kam so: **Tanja, 17,** lernt Bürokauffrau in einem kleinen Betrieb. Mit schweren Akten auf dem Arm stolpert sie auf einer steilen Treppe und bricht sich das linke Bein. Wochenlang Gips und jede Menge Frust. **Marco, 21,** ist KFZ-Mechaniker und fährt jeden Tag mit seinem alten Motorrad in die Werkstatt, auch im Winter. Als er auf der glatten Straße bremsen muss, rutscht ihm die schwere Maschine weg. Er verletzt sich die Wirbelsäule und muss mehrere Monate in eine teure Spezialklinik.

Weil beide Unfälle am Arbeitsplatz bzw. auf dem Weg dorthin passiert sind, kümmert sich die Berufsgenossenschaft, die gesetzliche Unfallversicherung für Arbeitnehmer, um alles: Sie sorgt für eine optimale Behandlung und übernimmt die Kosten. Wenn nötig, zahlt sie sogar Umschulungen oder Renten. *nach: www.hvbg.de*

b) Beschreiben Sie die Unfälle aus der Sicht von Tanja und Marco.

4 Eine Pressemeldung. **Lesen Sie den Text. Zwei Aussagen sind richtig. Kreuzen Sie an.**

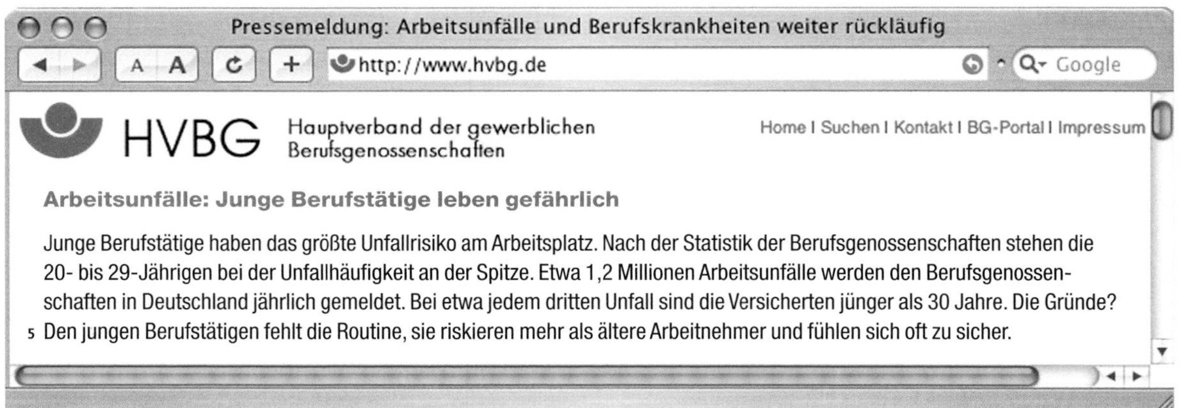
Pressemeldung: Arbeitsunfälle und Berufskrankheiten weiter rückläufig

http://www.hvbg.de

HVBG Hauptverband der gewerblichen Berufsgenossenschaften

Home | Suchen | Kontakt | BG-Portal | Impressum

Arbeitsunfälle: Junge Berufstätige leben gefährlich

Junge Berufstätige haben das größte Unfallrisiko am Arbeitsplatz. Nach der Statistik der Berufsgenossenschaften stehen die 20- bis 29-Jährigen bei der Unfallhäufigkeit an der Spitze. Etwa 1,2 Millionen Arbeitsunfälle werden den Berufsgenossenschaften in Deutschland jährlich gemeldet. Bei etwa jedem dritten Unfall sind die Versicherten jünger als 30 Jahre. Die Gründe? Den jungen Berufstätigen fehlt die Routine, sie riskieren mehr als ältere Arbeitnehmer und fühlen sich oft zu sicher.

1. ☐ 50 % aller Unfälle im Beruf passieren den 20- bis 29-jährigen Arbeitnehmern.
2. ☐ Die beruflichen Unfallversicherungen (Berufsgenossenschaften) registrieren in jedem Jahr über eine Million Unfälle am Arbeitsplatz.
3. ☐ Junge Arbeitnehmer haben häufiger Arbeitsunfälle als ältere.

4 Adjektive – Nomen näher beschreiben

9.1

1 Adjektive nach bestimmten Artikeln. Wie viele verschiedene Endungen gibt es in der Tabelle? Welche Endung sehen Sie am häufigsten?

Grammatik

Singular	*der*	*das*	*die*
Nominativ	der kleine Betrieb	das alte Motorrad	die glatte Straße
Akkusativ	den kleinen Betrieb	das alte Motorrad	die glatte Straße
Dativ	dem kleinen Betrieb	dem alten Motorrad	der glatten Straße
Genitiv	des kleinen Betriebs	des alten Motorrads	der glatten Straße

Plural	
Nominativ/ Akkusativ	die kleinen Betriebe/Motorräder/Straßen
Dativ	den kleinen Betrieben/Motorrädern/Straßen
Genitiv	der kleinen Betriebe/Motorräder/Straßen

9.3

2 
Wiederholung: Adjektive ohne Artikel

a) Typisch Arbeit? Ergänzen Sie die Endungen und finden Sie weitere Beispiele.

1. freundlich...... Kollege – 2. sonnig...... Wochenende – 3. lang...... Arbeitszeit – 4. …

b) Sehen Sie sich die Tabelle an und finden Sie weitere Beispiele.

Grammatik

Plural	
Nominativ	kleine Betriebe/Motorräder/Straßen
Akkusativ	kleine Betriebe/Motorräder/Straßen
Dativ	kleinen Betrieben/Motorrädern/Straßen
Genitiv	kleiner Betriebe/Motorräder/Straßen

3 Adjektivendungen bestimmen. Unterstreichen Sie die Adjektive und machen Sie eine Tabelle wie im Beispiel.

1. Es gab oft schwere Arbeitsunfälle.
2. Den freien Tag verbrachte man gern im Schrebergarten.
3. Der Schrebergarten war wichtig für die ganze Familie.
4. Das beliebteste Hobby im Ruhrgebiet war die Brieftaubenzucht.
5. Man nannte die Brieftaube „das Rennpferd des kleinen Mannes".
6. Er fährt mit dem alten Auto in die Werkstatt.
7. Unfall auf der A10 verursacht langen Stau.

	Zahl		Geschlecht			Fall			Artikel	
	Sg.	Pl.	m.	n.	f.	Akk.	Dat.	Gen.	best.	ohne
1. schwere		X	X			X				X
2. …										

4 Eine Grammatiktabelle ergänzen: Adjektive nach dem unbestimmten Artikel.

9.2 Ü7–9

Lesen Sie den Text. Ergänzen Sie dann die fehlenden Endungen in der Tabelle.

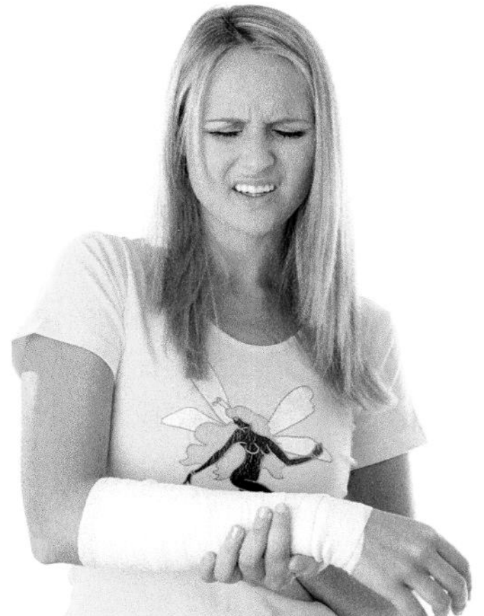

Arbeitsunfall auf einer Party – ja gibt's denn so was?

Im Prinzip ja, sagt die Berufsgenossenschaft in Castrop-Rauxel und nennt ein Beispiel aus den Protokollen eines aktuellen Falls. Die Auszubildende Mara K. rutschte auf einem fröhlichen Sommerfest ihrer neuen Firma an einem Getränkebuffet aus und schnitt sich mit einem kaputten Glas tief in ihren rechten Arm. Sie konnte den Arm zwei volle Monate nicht bewegen. Die BG bezahlte eine hohe Krankenhausrechnung und eine ergotherapeutische Behandlung. Die BG zahlt aber nur dann, wenn die Party ein dienstlicher Termin ist und der Chef auch dabei ist.

Grammatik

Singular	*der*	*das*
Nominativ	ein aktuell......... Fall	ein fröhliches Fest
Akkusativ	einen aktuell......... Fall	ein fröhliches Fest
Dativ	(in) einem aktuell......... Fall	(bei) einem fröhlich......... Fest
Genitiv	eines aktuell......... Falls	eines fröhlich......... Festes

	die
Nominativ	eine hohe Rechnung
Akkusativ	eine hoh......... Rechnung
Dativ	(mit) einer hoh......... Rechnung
Genitiv	einer hohen Rechnung

! Lerntipp

Nach den Possessiva *mein, dein, sein, ihr, unser, euer, ihr* dekliniert man die Adjektive wie nach *ein/eine* und *kein/keine.*

5 Adjektivendungen durch Nachsprechen lernen

26 Ü10

a) Hören Sie und sprechen Sie nach.

1. ein schöner Mann → der schöne Mann → Hey, schöner Mann!
2. ein schönes Kind → das schöne Kind → Hey, schönes Kind!
3. eine schöne Frau → die schöne Frau → Hey, schöne Frau!

b) Machen Sie weitere Ketten. Sprechen Sie laut.

6 Sprache im Ruhrgebiet. Welche Wörter hören Sie? Kreuzen Sie an. Was fällt Ihnen auf?

27

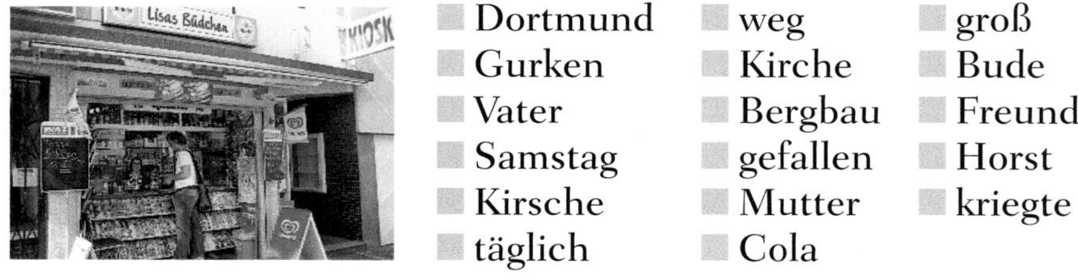

☐ Dortmund	☐ weg	☐ groß
☐ Gurken	☐ Kirche	☐ Bude
☐ Vater	☐ Bergbau	☐ Freund
☐ Samstag	☐ gefallen	☐ Horst
☐ Kirsche	☐ Mutter	☐ kriegte
☐ täglich	☐ Cola	

6.4 Ü11

7 **Verkleinerungsformen.** **Finden Sie andere Beispiele im Text auf Seite 64.**

die Suppe – das Süppchen
der Baum – das Bäumchen

die Stadt – das Städtchen ……………………

……………………

……………………

……………………

Landeskunde

Es gibt in einigen Regionen Unterschiede in den Verkleinerungsformen, z. B.: Häusken (Ruhrgebiet), Häusle (Südwestdeutschland), Häusli (CH), Häuserl (Bayern)

8 **Bochum**

a) **Herbert Grönemeyer hat ein Lied über seine Heimatstadt geschrieben. Was glauben Sie, was könnte er über seine Stadt sagen?**

Bochum

Tief im Westen
wo die Sonne verstaubt[1]
ist es besser
viel besser, als man glaubt
tief im Westen
tief im Westen

Du bist keine Schönheit
vor Arbeit ganz grau
du liebst dich ohne Schminke[2]
bist 'ne ehrliche Haut
leider total verbaut
aber grade das macht dich aus

Du hast 'n Pulsschlag aus Stahl
man hört ihn laut in der Nacht
du bist einfach zu bescheiden
dein Grubengold[3]
hat uns wieder hochgeholt
du Blume im Revier

Bochum
ich komm aus dir
Bochum
ich häng an dir
oh, Glück auf[4], Bochum

Du bist keine Weltstadt
auf deiner Königsallee[5]
finden keine Modenschau'n statt
hier, wo das Herz noch zählt
nicht das große Geld
wer wohnt schon in Düsseldorf

1 Staub: feiner Dreck, „alles ist verstaubt"
2 Schminke: Make up
3 das Grubengold: Ausdruck für Kohle
4 Glück auf!: Gruß der Bergarbeiter
5 Königsallee: berühmte Luxus-Einkaufsstraße in Düsseldorf

28

b) **Hören Sie das Lied. Was sagt der Sänger über seine Heimatstadt? Nennen Sie positive und negative Aspekte.**

c) **Schreiben Sie einen Text über Ihre Stadt.**

Übungen 4

1 Wörter aus dem Ruhrgebiet.

Ergänzen Sie die richtigen Wörter. Welches Foto passt wozu?

1. ▢ Schwarzes Gold ......die Kohle......
2. ▢ Kurzer Name für das Ruhrgebiet ....
3. ▢ Hier wird unter Tage gearbeitet ....
4. ▢ Arbeitskollege aus dem Bergwerk ....
5. ▢ Garten in einer Gartenkolonie ....

Landeskunde

Wussten Sie eigentlich schon, dass es im Ruhrgebiet Bergbau, Bergwerke und Bergarbeiter, aber keine Berge gibt?

2 Städte und Kultur im Ruhrgebiet

a) Lesen Sie die Texte. Wie heißen die Städte? Die Karte auf Seite 62 hilft Ihnen.

.... liegt nördlich der Ruhr zwischen den Städten Essen im Südwesten und Dortmund im Nordosten. In dieser Stadt leben 382 000 Menschen. Am Hauptbahnhof halten hier täglich rund 60 Intercitys und seit 1996 auch ICE-Züge. In einer extra für diesen Zweck 1988 gebauten Theaterhalle wird in dieser Stadt seit über 18 Jahren das Musical „Starlight Express" auf Deutsch gezeigt. In dieser Stadt kann man auch das Deutsche Bergbau-Museum besuchen. Es ist das bekannteste Bergbau-Museum der Welt.

.... hat über 120 000 Einwohner und liegt im Norden des Industriegebiets nördlich von Herne zwischen dem Rhein-Herne-Kanal und dem Wesel-Datteln-Kanal. Im Südwesten der Stadt treffen sich zwei der wichtigsten Autobahnen Deutschlands. Seit 1946 finden hier jedes Jahr die Ruhrfestspiele statt, die heute zu den wichtigsten europäischen Theaterfestspielen gehören.

b) Sammeln Sie Informationen zu den beiden Orten.

Name	....	....
Einwohner	....	....
Lage	....	....
Verkehr	....	....
Kultur	....	....

3 Dr. Schreber kannte keinen Schrebergarten

a) Lesen Sie den Text. Was bedeuten die markierten Wörter? Ordnen Sie sie den Erklärungen zu.

- ☐ ein Mensch, der nicht reich ist
- ☐ ein kleines Häuschen im Garten
- ☐ ein Stück Land
- 1 ein Treffen der Eltern von Schulkindern
- ☐ Essen und Trinken

Der Leipziger Arzt und Hochschullehrer Daniel Gottlob Schreber (1808–1861) sorgte sich um die Gesundheit und Entwicklung der Kinder von Industriearbeitern, die in den kleinen Wohnungen und Straßen keinen Platz zum Spielen hatten. Drei Jahre nach seinem Tod, 1864, forderte der Schuldirektor Ernst Hauschild auf einer Elternversammlung [1] einen Ort zum Spielen für die Kinder der Stadt. Die Eltern gründeten den „Schreberverein".

Der Verein mietete ein Grundstück [2] für einen Spielplatz, den „Schreberplatz". Die Eltern bauten dort auch Obst und Gemüse an. Dieses war in schlechten Zeiten oft wichtig für die Ernährung [3]. So wurden auf dem „Schreberplatz" die ersten „Schrebergärten" gegründet. Hier erholte sich im späten 19. und frühen 20. Jahrhundert der kleine Mann [4] vom Alltag der grauen Industriestädte.

Bis in unsere Zeit sind die jährlichen Kosten für einen Schrebergarten nicht hoch und deshalb sind sie sehr beliebt. Manche Familien verbringen dort den ganzen Sommer und übernachten sogar in der kleinen Laube [5], die zu jedem Schrebergarten gehört.

b) Zu welchen Zeilen passen die Fotos? Notieren Sie die Zeilen.

Foto a: .... Foto b: .... Foto c: ....

c) Einen Text zusammenfassen. Ordnen Sie die Informationen nach der Reihenfolge im Text aus Aufgabe a).

- ☐ 1864 gründeten Eltern in Leipzig einen Verein, der Land für einen Spielplatz suchte.
- 1 Der Arzt Schreber meinte, dass Arbeiterkinder aus der Stadt Platz zum Spielen in der Natur brauchten.
- ☐ Weil die Eltern am Schreberplatz kleine Gärten anlegten, hatten sie bald auch in schlechten Zeiten Obst und Gemüse.
- ☐ In jedem Schrebergarten steht auch eine Laube.
- ☐ So wurde aus dem Platz für die Kinder langsam ein Platz im Grünen für die ganze Familie.

4 Das Ruhrgebiet früher und heute

**a) Was war früher? Was ist heute? Kreuzen Sie an.
Die Texte auf den Seiten 64 und 65 helfen Ihnen.**

		früher	heute
1.	Ein Arbeitstag dauert zwölf Stunden.	X	
2.	Dortmund ist eine Großstadt.		
3.	Kinderarbeit ist verboten.		
4.	Es gibt nur noch wenige aktive Zechen.		
5.	Jeden Tag passieren schwere Unfälle.		
6.	Die Arbeiter in der Stahlindustrie haben eine 35-Stunden-Woche.		
7.	Im Ruhrgebiet wird viel Kohle abgebaut.		
8.	Dortmund ist ein kleines Dörfchen.		
9.	Über 60 % der Menschen arbeiten im Dienstleistungsbereich.		
10.	Kinder arbeiten im Bergbau.		
11.	Es wird viel für die Gesundheit der Arbeiter getan.		
12.	Fast alle Menschen im Pott arbeiten im Bergbau oder in der Stahlindustrie.		

b) Vergleichen Sie früher und heute. Was passt zusammen? Schreiben Sie.

1. Früher dauerte ein Arbeitstag zwölf Stunden. Heute haben die Arbeiter in der Stahlindustrie eine 35-Stunden-Woche.
2. ...

5 Thema heute: Fußball im Ruhrgebiet

a) Sehen Sie sich die Fotos an. Welche Wörter passen zu welchem Foto? Ordnen Sie zu.

- die Fans
- das Stadion
- der Schal
- der Fußballspieler
- die Fahne
- der Rasen

19

b) Hören Sie das Interview. Über welche Themen wird gesprochen? Kreuzen Sie an.

- die Gewalt im Fußballstadion
- die Vereinsmitglieder
- die Einwanderer im Ruhrgebiet
- die Bundesliga
- die Nationalität der Spieler des FC Schalke 04
- die Rolle der Ehefrauen der Spieler

19

c) Lesen Sie die Aussagen und hören Sie das Interview noch einmal. Welche Aussagen sind richtig? Kreuzen Sie an.

1. ☐ Fußball spielt in der Geschichte des Ruhrgebiets eine große Rolle.
2. ☐ Die Väter und Großväter vieler Menschen kamen im 19. Jahrhundert in den Ruhrpott, um als Bergarbeiter zu arbeiten.
3. ☐ Bei einem Fußballspiel kann man die Probleme des Alltags vergessen.
4. ☐ Im Verein ist es wichtig, woher man kommt oder wie viel man verdient.
5. ☐ Der FC Schalke 04 trainiert in Polen, Italien und der Türkei.
6. ☐ Der FC Schalke 04 ist der größte Fußballverein in Deutschland.
7. ☐ Die Vereinsmitglieder vom FC Schalke 04 sind besonders stolz auf ihr modernes Stadion, die neue Veltins-Arena.

20

6 Textkaraoke. Einen Unfall melden

a) Hören Sie und sprechen Sie die 👄-Rolle im Dialog.

👂 …
👄 Hallo, mein Name ist … Ich möchte einen Unfall melden.
👂 …
👄 Im Mikado. Das ist ein japanisches Restaurant in der Ulmenstraße 5.
👂 …
👄 Mein Chef ist auf der Treppe ausgerutscht und kann nicht mehr aufstehen.
👂 …
👄 Er kann das rechte Bein nicht bewegen und hat starke Schmerzen im Rücken.
👂 …
👄 Ja, er hat mich ja selbst gerufen.
👂 …
👄 Ja, das ist richtig.
👂 …
👄 Vielen Dank. Hoffentlich dauert es nicht so lange!

Landeskunde
Notrufnummern in Deutschland:
Polizei 110
Feuerwehr 112
Notruf 112

b) Welche Angaben gehören zu einer Unfallmeldung? Kreuzen Sie an.

☒ Name	☐ Alter	☐ Adresse
☐ Beruf	☐ Geschlecht	☐ Zahl der Verletzten
☐ Unfallort	☐ Telefonnummer	☐ Art der Verletzung

7 Adjektive in Paaren lernen. **Wie heißt das Gegenteil? Ergänzen Sie die Adjektive.**

1. wenig ≠ …………	6. gesund ≠ …………
2. stark ≠ …………	7. leicht ≠ …………
3. oft ≠ …………	8. früh ≠ …………
4. wichtig ≠ …………	9. klein ≠ …………
5. billig ≠ …………	10. schön ≠ …………

8 Zeitungsmeldungen. **Ergänzen Sie die Adjektivendungen.**

a) Adjektive nach bestimmten Artikeln

Mühlheim. Der 34-jährig....... Fahrlehrer Markus M. aus Duisburg wurde gestern auf der Autobahn 44 bei Mühlheim auf dem täglich....... Weg zur Arbeit schwer verletzt. Er war mit dem neu....... Dienstwagen unterwegs, als der tragisch....... Unfall passierte. Der jung....... Fahrer des ander....... Wagens musste mit dem Rettungshubschrauber in die 180 km entfernt....... Klinik in Bochum geflogen werden.

b) Adjektive nach unbestimmten Artikeln

Essen. Eine 47-jährig....... Verkäuferin wollte gestern gegen 15 Uhr in einem groß....... Supermarkt in der Marktstraße einer alt....... Dame helfen und ist über ihren Gehstock gestolpert. Sie fiel gegen ein schwer....... Regal mit Salatsoßen. Sie wurde mit einer leicht....... Kopfverletzung und einer tief....... Schnittwunde am Arm ins Krankenhaus gebracht.

9 Eine Region verändert sich. **Ergänzen Sie die Adjektive. Achten Sie auf die Endungen.**

schlecht – grün – lang – ungesund – viel – modern – ~~grau~~ – schwer – breit – aktiv

.....Graue..... [1] Städte, ... [2] Luft und .... [3] Arbeitsbedingungen waren .... [4] Zeit typisch für das Ruhrgebiet. Heute gibt es in .... [5] Städten der Industrieregion .... [6] Parkanlagen, Radwege, ein .... [7] Kultur- und Freizeitangebot und nur noch wenige .... [8] Zechen und Stahlwerke. Es hat sich sehr viel verändert! In der .... [9] Stahlindustrie werden heute weniger Arbeiter gebraucht. .... [10] Arbeitsunfälle passieren heute auch nur noch selten, und Kinder dürfen nicht arbeiten.

10 Adjektivendungen

21

a) Welches Wort hören Sie? Kreuzen Sie an.

1.	☐ nette	☐ netter	5.	☐ junge	☐ jungen
2.	☐ 26-jährige	☐ 26-jähriger	6.	☐ letzte	☐ letzten
3.	☐ verrückte	☐ verrückten	7.	☐ kleine	☐ kleinen
4.	☐ überraschte	☐ überraschten	8.	☐ große	☐ großes

b) Ergänzen Sie die Adjektive aus Aufgabe a).

Ein ....[1] Angestellter wurde schwer verletzt, als er vor den Augen der ....[2] Kollegen ein ....[3] Bierglas essen wollte. Man weiß nocht nicht, was den ....[4] Mann zu dieser ....[5] Idee führte. Wie der Geschäftsführer der ....[6] Firma unserer Zeitung sagte, fiel der sonst immer ....[7] Mann in der ....[8] Zeit nicht durch sein Verhalten auf.

22

c) Hören Sie den Text und überprüfen Sie Ihre Lösung.

11 Wörter mit *-chen.* Schreiben Sie den Text mit Nomen in der Grundform.

In einem Häuschen am Wäldchen wohnt ein Männchen. Es hat ein Gärtchen mit einem Apfelbäumchen, in dem ein Täubchen wohnt. Und es hat ein Kätzchen, das gerne mit Mäuschen spielt. Abends sitzt das Männchen an seinem Gartentischchen und trinkt ein oder zwei Bierchen. Samstags kommt sein Mütterchen und kocht ihm ein Süppchen.

In einem Haus ....

....

....

....

....

....

....

....

....

Das kann ich auf Deutsch

Regionen und Orte beschreiben

Die Region liegt östlich von Düsseldorf an der Ruhr. Früher arbeiteten die Menschen hier in der Industrie, heute arbeiten sie im Dienstleistungsbereich.

über Arbeitsunfälle und Versicherungen sprechen

Was ist passiert? Sie hat sich das Bein gebrochen. Sie musste in eine teure Spezialklinik. Die Berufsgenossenschaft übernimmt die Kosten.

Wortfelder

Industrie

das Bergwerk, der Kumpel, das Stahlwerk, die Stahlproduktion, die Zeche, die Bergarbeitersiedlung

Arbeitsunfall und Versicherung

der Gips, die Wirbelsäule, sich das Bein brechen, sich verletzen, stolpern, wegrutschen, die Unfallversicherung, die Kosten, der/die Versicherte

Grammatik

Adjektive vor dem Nomen

ein aktuel**ler** Fall, der klein**e** Betrieb in Bochum, schwer**er** Unfall auf der A2, fröhlich**e** Feste am Wochenende

Verkleinerungsformen

das Haus – das **Häuschen**, die Suppe – das **Süppchen**

Wiederholung

Adjektive ohne Artikel: net**ter** Mann – net**te** Frau – net**tes** Kind

Aussprache

Wörter im Dialekt verstehen

der Kumpel, der Malocher / Ich bin in Dortmund groß geworden.

Adjektivendungen durch Sprechen lernen

ein schöner Mann – der schöne Mann – Hey, schöner Mann!

23

Laut lesen und lernen

Tanja lernt Bürokauffrau. Wie ist denn das passiert? Ich habe einen Arbeitsunfall gehabt. Ich habe mir das Bein gebrochen. Übernimmt die Versicherung die Kosten? Die Versicherung zahlt die Umschulung.

Zertifikatstraining

Sprachbausteine, Teil 2

Lesen Sie den Brief und entscheiden Sie, welches Wort (a–o) in welche Lücke (1–10) passt. Sie können jedes Wort nur einmal verwenden. Nicht alle Wörter passen in den Brief. Sie haben ca. 10 Minuten Zeit.

Liebe Familie Neumann,

ich möchte bei Ihnen als Au-Pair-Mädchen arbeiten. Ich heiße Svetlana und bin 21 Jahre alt. Ich komme aus Russland, aus Jekaterinburg.
Ich studiere zurzeit Wirtschaft und ich spreche Englisch und Deutsch. Ich ...1... in Deutschland meine Deutschkenntnisse verbessern und die deutsche Kultur und den Alltag kennen lernen. Ich interessiere mich ...2... Deutschland, weil die Eltern meiner Großmutter Deutsche waren. Ich ...3... Klavier und mag klassische Musik. ...4... ich frei habe, spiele ich gerne mit meinen kleinen Geschwistern oder koche für meine Familie. In den ...5... arbeite ich oft in einem Ferienlager ...6... Erzieherin. Wir machen Wanderungen, baden im See, ...7... in der Sonne, basteln, ...8... Lieder, malen und wir spielen viel. Ich ...9... Kinder sehr.
Ich freue mich ...10... Ihre Antwort und hoffe, dass wir uns bald persönlich kennen lernen.

Mit freundlichen Grüßen

Svetlana Maslowa

a) .... auf	d) .... Urlaub	g) .... singen	j) .... Ferien	m) .... früh
b) .... über	e) .... Lust	h) .... Wenn	k) .... liegen	n) .... mag
c) .... möchte	f) .... spiele	i) .... als	l) .... für	o) .... darf

5 Schule und lernen

1 Schule in Deutschland

1 Ü1 **Das Schulsystem.** **Beschreiben Sie die Grafik. Ergänzen Sie dann die Zahlen im Text.**

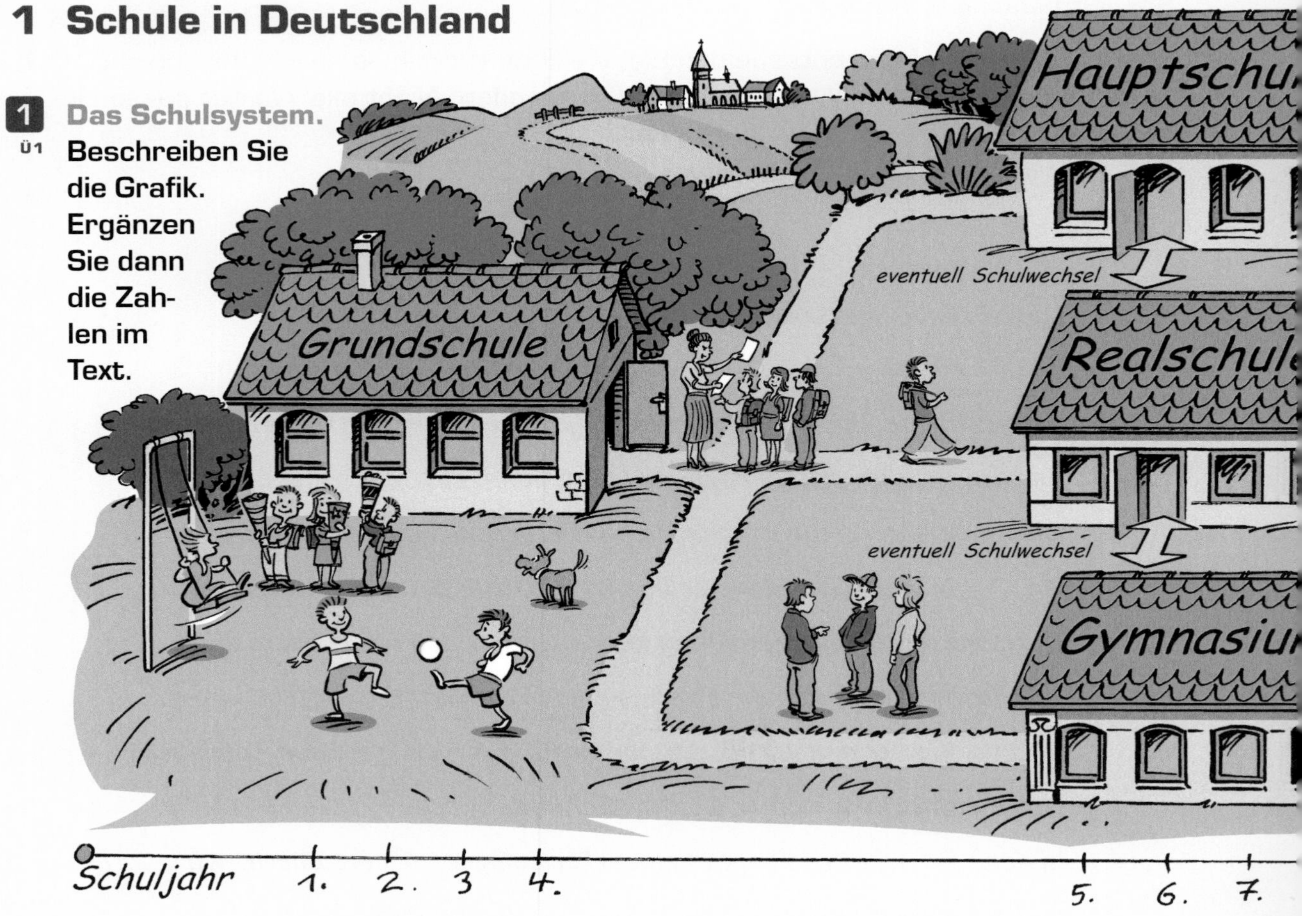

In Deutschland ist das Schulsystem in jedem Bundesland ein bisschen anders.

Alle Kinder kommen mit ....6.... Jahren in die Grundschule, die in der Regel .... Jahre dauert. Danach entscheiden die Leistungen der Kinder, ob sie auf die Hauptschule, die Realschule oder das Gymnasium gehen. Nach der .... Klasse kann man die Schule eventuell wechseln. Eine Alternative zu diesem dreigliedrigen System ist die Gesamtschule. In manchen Bundesländern werden auch die Haupt- und Realschulen zusammengelegt und heißen dann Regional- oder Stadtteilschulen.

Einige Hauptschüler verlassen die Schule nach der .... Klasse und suchen einen Ausbildungsplatz. Manche gehen weiter zur Schule und machen ihren Realschulabschluss. Die Realschüler gehen .... Jahre zur Schule. Danach haben sie mehrere Möglichkeiten. Sie machen eine Ausbildung und lernen drei Jahre lang einen Beruf in Betrieben und in der Berufsschule. Manche Realschüler gehen auch weiter zur Fachoberschule und machen das Fachabitur oder sie gehen auf das Gymnasium.

Dort ist die Schulzeit am längsten. Am Ende der .... Klasse machen die Gymnasiasten ihr Abitur. Damit bewerben sie sich um einen Studienplatz an der Universität oder der Fachhochschule oder auch um einen Ausbildungsplatz.

Hier lernen Sie

- über Schule und Berufe an der Schule sprechen
- über Wünsche oder etwas Irreales sprechen
- Konjunktiv II (Präsens): *wäre, würde; hätte, könnte*
- Laute hören: *a – ä, u – ü, o – ö*
- Wdh.: Relativsätze

Landeskunde

Am ersten Schultag bekommen die Kinder von ihren Eltern eine Schultüte. In der bunten Tüte aus Pappe sind Süßigkeiten und Spielzeug, oder auch Sachen, die die Kinder in der Schule brauchen, versteckt. In vielen Familien wird der erste Schultag mit Freunden und Verwandten gefeiert.

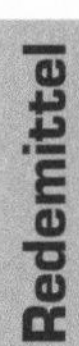

2 29 Ü2 **Schulbiografien. Wir haben Karina Seeger interviewt. Hören Sie das Interview. Wann war Karina auf welcher Schule und in welcher Klasse?**

3 Jahre alt: Kindergarten

3 **Und Sie? Sprechen Sie mit Ihrem Partner / Ihrer Partnerin über Ihre Schulbiografie.**

Redemittel

Ich bin mit … Jahren in die Schule gekommen.
Von … bis … bin ich zur/zum … gegangen. / Danach bin ich auf … gegangen. / Wann hast du deinen Schulabschluss gemacht? /
Bei uns kann man … / Bei uns gibt es (k)ein(e) … / Nach der Schule …

2 Die Gesamtschule Geistal in Bad Hersfeld

1 **Schule.** Was fällt Ihnen in 30 Sekunden zum Thema ein?

2 **Der Schulalltag von Lennart, 14**

Ü 3–4

a) Welche Fächer kennen Sie aus Ihrer Schulzeit, welche nicht?

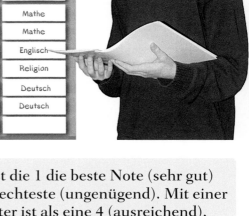

Stundenplan

Zeit	Montag	Dienstag	Mittwoch	Donnerstag	Freitag
8:15– 9:00	Musik	Mathe	Sport	Deutsch	Mathe
9:05– 9:50	Latein	Latein	Sport	Musik	Mathe
10:05–10:50	Mathe	Englisch	Chemie	Latein	Englisch
10:55–11:40	Englisch	Geschichte	Religion	Geschichte	Religion
12:00–12:45	Chemie	Politik	Physik	Wahlfach Bio	Deutsch
12:50–13:35	Deutsch	Politik	Physik	Wahlfach Bio	Deutsch
13:45–15:15		Handball AG	Ethik	Physik (zweiwöchig)	

30

b) Lennart geht in die 8. Klasse der Geistalschule. Er erzählt über seinen Schulalltag. Hören Sie das Interview und sammeln Sie die Informationen in einer Tabelle.

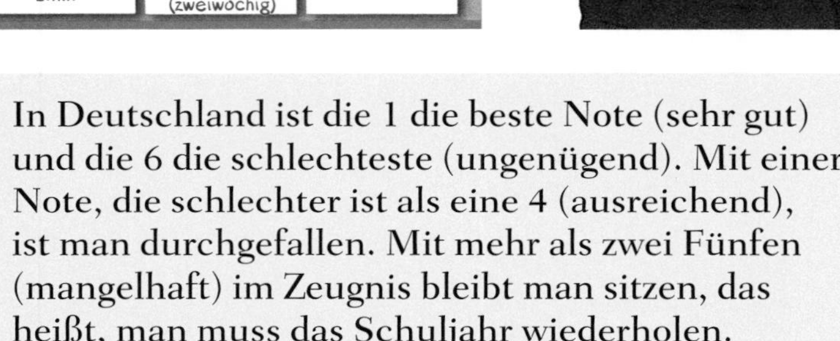

Landeskunde

In Deutschland ist die 1 die beste Note (sehr gut) und die 6 die schlechteste (ungenügend). Mit einer Note, die schlechter ist als eine 4 (ausreichend), ist man durchgefallen. Mit mehr als zwei Fünfen (mangelhaft) im Zeugnis bleibt man sitzen, das heißt, man muss das Schuljahr wiederholen.

Schulbeginn	Lieblingsfach	unbeliebtes Fach	Noten
....	....	....	....

c) Wie sah Ihr Klassenzimmer aus? Um wie viel Uhr fängt die Schule bei Ihnen an? Kann man bei Ihnen sitzenbleiben? Wie lang sind die Ferien? Machen Sie sich Notizen wie in Aufgabe b) und vergleichen Sie im Kurs.

3 **„Schulerinnerungen".** Ihre Lieblingsfächer, Lieblingslehrer …

Ü 5

Ich-Texte schreiben

Ich war … Jahre auf der/dem …
Meine Lieblingsfächer waren …, weil …
… mochte ich nicht, denn … / Mein(e) Lieblingslehrer(in) war …
Ich erinnere mich an … / Unser Mathematiklehrer war …

4 Berufe an der Schule

Ü6

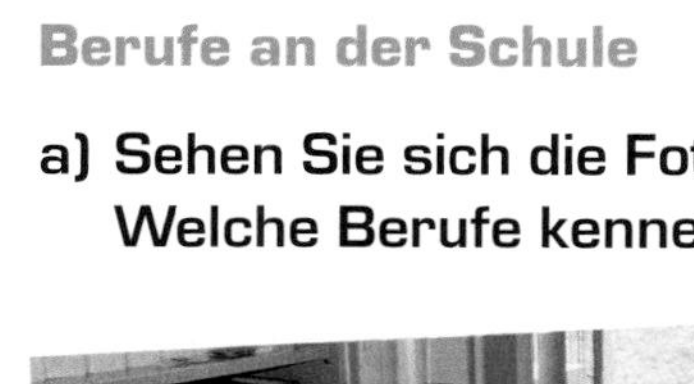

a) Sehen Sie sich die Fotos an. Welche Berufe kennen Sie?

a) ....

b) ....

c) der Sozial-arbeiter

d) ....

b) Arbeiten Sie zu zweit. Jede/r liest einen Text und notiert die Tätigkeiten. Welches Bild passt zu Ihrem Text?

c) Berichten Sie Ihrem Partner / Ihrer Partnerin über Ihren Text.

Paul Hübchen, 62, Hausmeister

Ich bin seit 26 Jahren Hausmeister an der *Geistal*schule. Eigentlich habe ich Schlosser gelernt. Aber als Hausmeister muss man nicht nur mit Metall arbeiten. Ich überwache z. B. die Heizung, wechsle Glühbirnen aus, repariere kaputte Stühle und kümmere mich um die Kopiergeräte. Mittags verkaufe ich Brötchen und Getränke im Kiosk. Im Winter räume ich Schnee und zu Weihnachten stelle ich den Weihnachtsbaum auf. Wenn ich einen Wunsch frei hätte, würde ich einen Ordnungsdienst für Schüler einführen. Die Schüler würden dann ihre Klassenräume selbst sauber halten. Vielleicht würde dann nicht mehr überall so viel Müll herumliegen.

Cornelia Altmann, 31, Schulsozialarbeiterin

Ich bin seit 2003 an der Schillerschule. Mit 14 oder 15 sind viele Schüler „schulmüde". Manche haben auch Probleme zu Hause. Es gibt Elfjährige, mit denen die Eltern und Lehrer nicht mehr klarkommen. Diese Schüler berate ich und suche mit ihnen, ihren Lehrern und Eltern nach Lösungen. Ich helfe den Schülern auch bei der Berufswahl. Und ich leite verschiedene Arbeitsgemeinschaften, in denen die Schüler mitarbeiten. Montags trifft sich die Streitschlichter-Gruppe. Streitschlichter helfen anderen Schülern, Konflikte ohne Gewalt zu lösen. Mittwochs ist die Schule-und-Leben-AG, in der die Schüler lernen, ein Thema zu präsentieren und im Team zu arbeiten. Ich wünschte, manche Eltern würden sich mehr um ihre Kinder kümmern. Und es wäre schön, wenn ich noch einen Kollegen hätte, dann könnten wir uns die Arbeit teilen. Mein Job macht mir Spaß, besonders dann, wenn ein Schüler, dem ich geholfen habe, auch mal Danke sagt.

5 Wörter ohne Wörterbuch verstehen. Erklären Sie Ihrem Partner / Ihrer Partnerin die Wörter.

Hausmeister – Ordnungsdienst – Sozialarbeiter/in – schulmüde – Berufswahl

3 Von Schule träumen – Schule verändern

1 Wunsch und Realität. **Wie ist es wirklich in der Schule? Schreiben Sie Sätze.**

Wunsch	Realität
Ich wünschte, manche Eltern würden sich mehr um ihre Kinder kümmern.	Manche Eltern kümmern sich zu wenig um ihre Kinder.
Ich wünschte, ich hätte einen Kollegen in der Klasse.	…………
Ich wünschte, die Schüler würden ihre Klassenräume selbst sauber halten.	…………
Ich wünschte, die Schüler würden die Hausaufgaben machen.	…………

2 Wünsche äußern. **Sprechen Sie schnell.**

Ich wünschte, ich hätte mehr Zeit / weniger Hausaufgaben / …
ich könnte besser Deutsch / schneller lesen / …

3 „Sprachschatten“: Wünsche üben. **Ihr/e Partner/in äußert Wünsche. Spielen Sie Echo.**
Ü 7

- ■ Ich hätte gerne drei Monate Sommerferien.
- ◆ Oh ja, ich hätte auch gerne drei Monate Sommerferien.
- ■ Ich würde am liebsten nach Italien fahren.
- ◆ Gute Idee, ich …

- – Ich würde jeden Tag Pizza und Eis essen.
- – Ich würde gern die ganze Zeit am Strand liegen.
- – Ich wäre jeden Nachmittag im Café.

4 Der Konjunktiv II (Präsens)
4, 14

Mit dem Konjunktiv II kann man über Wünsche, Träume und etwas, das nicht real ist, sprechen.

a) Ergänzen Sie die Regel.

- ■ Schule, nein danke! Ich (würde) jetzt am liebsten in den Urlaub (fahren). Und du?
- ◆ Ich (würde) am liebsten (mitkommen)!

Regel Den Konjunktiv II (Präsens) der meisten Verben bildet man mit ………… + ………… .

b) **Das Präteritum als Lernhilfe: *wurde/würde – war/wäre.* Ergänzen Sie die Tabelle. Kontrollieren Sie mit der Grammatik im Anhang.**

Grammatik

ich	wurde	würde	war	wäre
du	wurdest		warst	
er/es/sie				

5 4, 14 **Bei manchen Verben benutzt man *würde* nicht. Lesen Sie das Minimemo und ergänzen Sie die Sätze.**

Minimemo
sein – wäre
haben – hätte
wissen – wüsste
können – könnte

1. Ich .... gern mehr Zeit. (haben)
2. Wenn ich doch nach Berlin ziehen ....! (können)
3. Wenn ich nur ...., was ich ihm schenken soll! (wissen)
4. Wenn doch endlich Ferien ....! (sein)
5. Drei Wochen Ferien? Das .... (sein) mir zu kurz.

Regel *Sein, haben* und Modalverben immer ohne *würde.*

6 Ü8–11 **Und Sie? Wählen Sie drei Satzanfänge aus und ergänzen Sie.**

1. Wenn ich zaubern könnte, ...

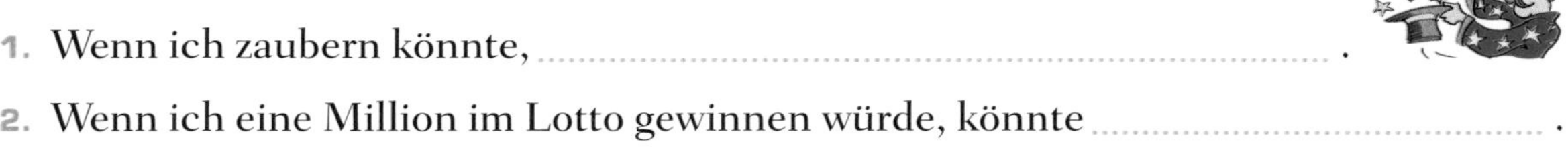

2. Wenn ich eine Million im Lotto gewinnen würde, könnte ....
3. Wenn ich drei Monate Urlaub hätte, ...
4. Wenn ich die deutsche Sprache verändern könnte, ...
5. Wenn ich 20 Jahre jünger wäre, würde ich ....
6. Wenn ich König/in wäre, ...

7 31 Ü12 **Konjunktiv II (Präsens) hören**

a) **Hören Sie die Mini-Dialoge. Kreuzen Sie an, was Sie hören.**

1. Urlaub in den Bergen?
   Das ☐ war / ☐ wäre mir zu langweilig.
2. Oma besuchen?
   Ich ☐ werde / ☐ würde sie besuchen.
3. Computerprogramm installieren?
   Ich ☐ wusste / ☐ wüsste nicht, wie es geht.
4. Prüfung?
   Ich ☐ hatte / ☐ hätte echt Stress vor der Prüfung.
5. Klaus?
   Er ☐ konnte / ☐ könnte mir sofort helfen.
6. Zeugnis?
   Sie ☐ musste / ☐ müsste die Klasse wiederholen.

b) **Hören Sie und sprechen Sie nach.**

4 Wortschatz systematisch

1 24 Wörter – 4 Kategorien. **Ordnen Sie die Wörter in vier Gruppen und geben Sie jeder Gruppe einen Namen.**

Biologie	Wörterbuch	Sport	Landkarte
Schüler	Englisch	Mathematiklehrerin	Schulsekretärin
Musiklehrer	Realschule	Putzfrau	Physik
Berufsschule	Sozialarbeiterin	Deutsch	Gymnasium
Hauptschule	Kunst	Latein	Grundschule
Chemiebuch	Overheadprojektor	Computer	Hausmeister

2 Begriffe rund um Schule

Ü 13–14

a) Wiederholung Relativpronomen. Ergänzen Sie.

1. Schule: Ein Haus, in ...dem... Schüler lernen.
2. Eltern: Menschen, ... Kinder haben.
3. Schüler: Ein Kind, ... die Lehrer etwas beibringen.
4. Computer: Ein Gerät, ... im Unterricht sehr nützlich sein kann.
5. Lernpartner: Personen, mit .... es Spaß macht, Aufgaben zu lösen.
6. Schulfreund/in: Ein Mensch, ... ich in der Schule kennen gelernt habe, ... ich gerne helfe und mit .... ich gerne zusammen bin.
7. Schulzahnärztin: Eine Frau, ... alle Schüler lieben.

8

b) Ergänzen Sie die Tabelle mit den Relativpronomen.

Grammatik

	Nominativ	Akkusativ	Dativ
der/ein	der		
das/ein			
die/eine			der
die (Pl.)		die	

3 Wortfeld Schule

a) Was ist das? Raten Sie.

b) Finden Sie weitere Wörter.

5 Schule interkulturell

1 Dänemark und Honduras. **Arbeiten Sie zu zweit. Sie lesen einen Text, Ihre Partnerin / Ihr Partner den anderen. Markieren Sie die wichtigsten Informationen und stellen Sie Ihren Text vor.**

Honduras

María Gabriela aus einem Dorf im Nordwesten von Honduras

Die 11-jährige María besucht die vierte Klasse der Grundschule. Sie ist sehr klug und fleißig und sie möchte Ärztin werden. Zu ihren Lieblingsfächern zählen Biologie und Spanisch. Aber viel Zeit zum Lernen bleibt ihr nicht. Maria ist das einzige Mädchen in der Familie, sie hat drei Brüder. Der älteste ist 17 und arbeitet als Maurer, die anderen beiden gehen noch in die Schule. María hilft ihrer Mutter im Haushalt, holt das Brennholz und kümmert sich um die Tiere.

a

Dänemark

Kajakbau im Werkunterricht

Grönland ist die größte Insel unserer Erde und gehört als autonomer Teil zum Königreich Dänemark. Die meisten Bewohner Grönlands sind Inuit. Die Inuit sind auch die Erfinder der Kajaks. Sie benutzen diese kleinen Boote schon seit Jahrhunderten als Verkehrsmittel oder zur Jagd. Deshalb ist es auf Grönland auch ganz normal, dass man in der Schule nicht nur Rechnen und Schreiben lernt, sondern auch das Kajakbauen!

b

2 Über Schule lachen

a) **Lesen Sie die Sprüche und Witze über Schule. Welcher gefällt Ihnen am besten?**

b) **Kennen Sie auch einen Schulwitz? Erzählen Sie ihn.**

Unser Lehrer hat keine Ahnung. Darum fragt er uns!

Wenn alles schläft und einer spricht, dann nennt man das den Unterricht!

Wörter, die mit der Vorsilbe un- beginnen, drücken meist etwas Schlechtes oder Unangenehmes aus", erklärt der Lehrer. „Wer kann so ein Wort nennen?" Darauf Sascha schlagfertig: „Unterricht!"

Wir gehen nur wegen der Pausen in die Schule.

3 Bildung ist ...

Übungen 5

1 Schule in Deutschland

a) Sehen Sie sich die Fotos an. Zu welchen Fragen aus Aufgabe b) passen sie?

b) Ordnen Sie den Fragen die Antworten zu.

1. ▢ Ist das Schulsystem in Deutschland überall gleich?
2. ▢ Mit wie viel Jahren kommen die Kinder in die Schule?
3. ▢ Wann ist ein Wechsel von der Hauptschule zur Realschule möglich?
4. ▢ Wer kann nach dem Schulabschluss die Berufsschule besuchen?
5. ▢ Wann machen Gymnasiasten in der Regel das Abitur?
6. ▢ Welche Ausbildungsmöglichkeiten haben Schüler mit Realschulabschluss?
7. ▢ Welche Schüler besuchen in manchen Bundesländern eine Regional- oder Stadtteilschule?

a) Haupt- und Realschüler.
b) Hauptschüler, Realschüler und Gymnasiasten.
c) Nein. In jedem Bundesland ist es ein bisschen anders.
d) Sie können eine Ausbildung, das Fachabitur oder das Abitur machen.
e) Mit sechs Jahren.
f) Nach dem sechsten und nach dem neunten Schuljahr.
g) Am Ende des zwölften Schuljahrs.

c) Vergleichen Sie Ihre Antworten mit dem Text auf Seite 78.

2 Drei Schüler erzählen

24

a) Welche Schulabschlüsse machen sie in diesem Jahr? Hören und notieren Sie.

Michaela

Cemal

Jan

....

b) Hören Sie die Interviews noch einmal und ergänzen Sie die Namen.

1. .... möchte eine Ausbildung zur Optikerin machen.
2. Als .... nach Berlin kam, konnte er schon ziemlich gut Deutsch.
3. Weil .... eine Sechs hatte, musste er die vierte Klasse wiederholen.
4. .... hatte in der Grundschule gute Leistungen, deshalb ging er aufs Gymnasium.
5. .... will Möbeltischler werden.
6. .... ist in Hannover in die Grundschule gegangen.

3 **Schulfächer. Schreiben Sie zu jeder Frage ein Schulfach.**

1. In welchem Jahr begann der 2. Weltkrieg? *Geschichte*
2. Was braucht ein Baum zum Leben? ....
3. Welcher Komponist aus Salzburg hat „Eine kleine Nachtmusik" geschrieben? ....
4. Sie haben acht Pullover und wollen zwei in den Urlaub mitnehmen. Wie viele Kombinationsmöglichkeiten haben Sie? ....
5. Welcher deutsche Autor hat den Roman „Die Leiden des jungen Werther" geschrieben? ....

4 **Lennarts Stundenplan. Arbeiten Sie mit dem Stundenplan auf Seite 80. Schreiben Sie sechs Fragen und Antworten.**

1. Wann hat Lennart Deutsch? – Am Montag in der sechsten und am Donnerstag in der ersten Stunde.

25 **5** **Klangbilder**

a) Was hören Sie? Wo ist das? Ordnen Sie zu.

in der Pause – beim Sport – in der Mathestunde – im Chemieunterricht

1. ....
2. ....
3. ....
4. ....

b) Finden und schreiben Sie Wörter und Aktivitäten.

in der Pause: Brötchen kaufen, spielen, ...

6 **Das Magazin *Aktuell* im Gespräch mit einem Lehrer**

a) Lesen Sie den Text und ordnen Sie die Interviewfragen zu.

1. Wie gut kennen Sie Ihre Schüler?
2. Wie kommt das?
3. Was machen Sie eigentlich in den Osterferien?
4. Macht Ihnen Ihr Beruf Spaß?
5. Was machen Sie in so einer Situation?
6. Können Sie uns ein Beispiel geben?

Traumberuf Lehrer?

„Lehrer haben es doch gut! Sie arbeiten meistens nur ein paar Stunden am Vormittag und haben oft Ferien." Das denken viele, aber ist das wirklich so? *Aktuell* hat ein Interview mit Herrn Möller geführt. Er unterrichtet seit über zehn Jahren Deutsch und Geschichte an einer Realschule in Gelsenkirchen.

Aktuell: 4
Möller: Ja, eigentlich schon. Manchmal habe ich aber auch schlechte Tage und bin unzufrieden oder gestresst, wenn ich nach Hause komme.

Aktuell: ■
Möller: Das kann unterschiedliche Gründe haben. Oft sind die Schüler nicht vorbereitet, ganz einfach müde oder interessieren sich nicht für das Thema.

Aktuell: ■
Möller: Sicher. Zum Beispiel gestern habe ich zwei Stunden eine Deutschstunde für eine 10. Klasse vorbereitet. Gleich am Anfang der Stunde musste ich heute feststellen, dass nur etwa die Hälfte der Klasse das Buch mitgebracht hat. Von 26 Schülern konnten nur zehn bis zwölf meine Fragen zu den beiden Texten beantworten, die sie zu Hause lesen sollten.

Aktuell: ■
Möller: Ich lasse einen der Schüler, die die Texte gelesen haben, den Inhalt zusammenfassen und mache dann mit dem Unterricht weiter. Na ja, leider passiert so was öfter.

Aktuell: ■
Möller: Bei so vielen Schülern kann man nicht jeden gut kennen. Aber wenn ich merke, dass die Leistungen eines Schülers schlechter werden, frage ich, ob es ein Problem gibt, oder ich spreche mit unserer Sozialarbeiterin.

Aktuell: ■
Möller: Ich ruhe mich erst einmal vom Stress in der Schule aus. Aber ich brauche die Zeit auch, um drei Klassenarbeiten zu korrigieren und den Unterricht der nächsten Wochen vorzubereiten. Und dann fahre ich für fünf Tage mit meiner Frau in den Urlaub.

b) Was sagt Herr Möller? Kreuzen Sie an und korrigieren Sie die falschen Aussagen.

1. ▢ Der Beruf macht mir meistens Spaß.
2. ▢ Die Schüler sind immer gut vorbereitet.
3. ▢ Die Deutschstunde lief nicht gut, weil ich schlecht vorbereitet war.
4. ▢ Wir lesen die Texte gemeinsam in der Klasse, wenn viele Schüler sie nicht zu Hause gelesen haben.
5. ▢ Ich versuche, meinen Schülern zu helfen, wenn sie Probleme haben.
6. ▢ An den Nachmittagen und in den Ferien arbeite ich auch für die Schule.

7 Träume von einer anderen Schule

a) Wer sagt was? Notieren Sie „S“ für „Schüler/in“ oder „L“ für „Lehrer/in“.

S ~~mehr Sportunterricht haben~~ – ▢ keine Hausaufgaben haben – ▢ in den Klassenzimmern ruhiger sein – ▢ Eltern mehr mit der Schule zusammenarbeiten – ▢ lustigere Lehrer haben – ▢ mehr Zeit für die einzelnen Schüler haben – ▢ nur gute Noten haben – ▢ nettere Kollegen haben – *L* ~~nicht so viele Schüler in den Klassen sein~~ – ▢ nettere Mitschüler haben – ▢ weniger Korrekturen haben

b) Schreiben Sie Sätze im Konjunktiv II (Präsens).

Das sagt eine Schülerin:	*Das sagt ein Lehrer:*
Ich wünschte, wir hätten mehr Sportunterricht.	*Ich wünschte, in den Klassen wären nicht so viele Schüler.*

c) Schreiben Sie die Sätze aus Aufgabe b) wie im Beispiel um.

Ich wünschte, wir hätten mehr Sportunterricht. – Es wäre schön, wenn wir mehr Sportunterricht hätten.

8 Wer weiß das schon? Schreiben Sie Sätze wie im Beispiel.

Wie wird das Wetter morgen? – Wo sind meine Autoschlüssel? – Wer kommt morgen zu meiner Party? – Was soll ich nach der Schule machen? – Woher soll ich das Geld für die Telefonrechnung nehmen?

Wenn ich nur wüsste, wie das Wetter morgen wird!
Wenn ich nur ...
?
?

9 Wenn ich doch ...! Schreiben Sie mindestens fünf Sätze.

fliegen können – ein Auto haben – reich sein – im Lotto gewinnen – mehr Zeit haben – (nicht) verheiratet sein – (keine) Kinder haben – ...

10 Was wäre, wenn ...? **Ergänzen Sie *würde, wäre* oder *hätte*.**

Ich bin jetzt 32 Jahre alt. Ich habe zwei kleine Kinder, die schon bald in die Schule gehen, und arbeite als Sekretärin. Ich denke oft darüber nach, was ich anders machen ....[1], wenn ich jetzt noch einmal die Chance ....[2], in die Schule zu gehen. Ich glaube, ich ....[3] versuchen, besser Englisch zu lernen. Ich ....[4] oft im Internet surfen und mit Menschen aus der ganzen Welt auf Englisch chatten. Nach dem Schulabschluss ....[5] ich ein Jahr durch Australien reisen. Ich ....[6] die ganze Zeit unterwegs und ....[7] viele neue Leute kennen lernen. Das ....[8] toll! Wahrscheinlich ....[9] ich jetzt nicht Sekretärin. Mein Beruf macht mir wirklich nicht besonders viel Spaß. Aber Kinder ....[10] ich auf jeden Fall!

11 Immer nur „wenn". **Schreiben Sie Sätze im Konjunktiv II (Präsens).**

1. einen Ausbildungsplatz haben – glücklich sein
   Wenn ich einen Ausbildungsplatz hätte, wäre ich glücklich.
2. einen interessanten Beruf haben – gern zur Arbeit gehen
   ....
3. mehr Zeit haben – in den Urlaub fahren
   ....
4. mehr lernen – weniger Probleme in der Schule haben
   ....
5. einen guten Schulabschluss haben – einen guten Job bekommen
   ....

12 Umlaut oder nicht? Hören Sie und ergänzen Sie die Vokale.

26

der K*o*ch	die ...rztin	das D...rf	der B.......er
die K*ö*chin	der ...rzt	die D...rfer	die B.......erin
...ngstlich	die Nat...r	gef...hrlich	die W...t
die ...ngst	nat...rlich	die Gef...hr	w...tend
der B...cker	der Schm...ck	k...ssen	der T...nzer
b...cken	schm...cken	der K...ss	t...nzen

13 Wortschatz „Schule". Finden Sie zu jedem Buchstaben ein Nomen mit Artikel.

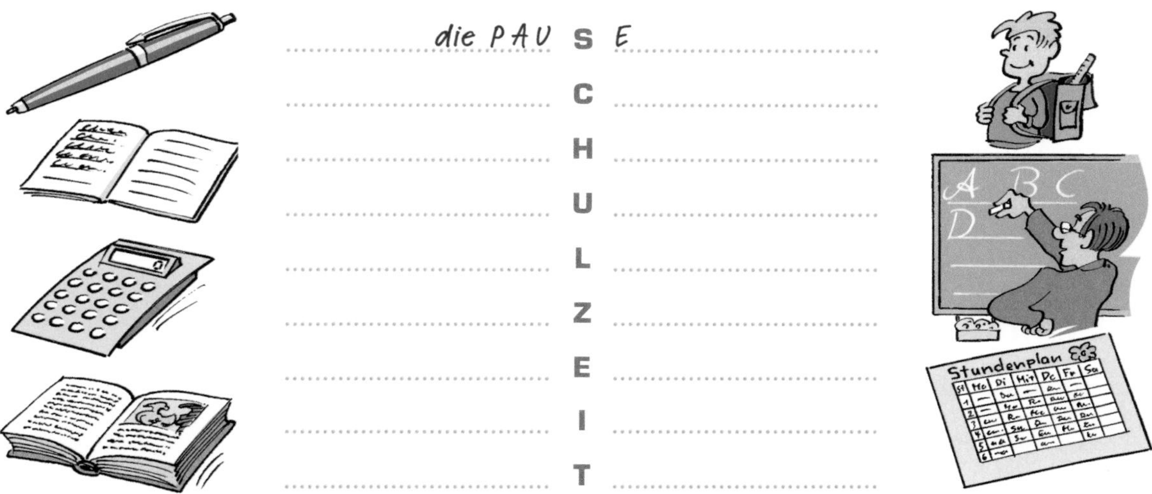

14 Erinnerungen. Schreiben Sie Relativsätze.

1. Wir hatten in der Grundschule einen Hausmeister. Er war immer sehr nett.
   Wir hatten in der Grundschule einen Hausmeister, der immer ....
2. Musik und Sport waren die Schulfächer. Ich mochte sie am liebsten.
   ....
3. Kannst du dich noch an Christiane erinnern? Sie saß in der 7. Klasse neben dir.
   ....
4. Herr Schumann war unser Musiklehrer. Ich habe ihm einmal Salz in seinen Kaffee getan.
   ....
5. Das ist mein Tagebuch. Ich schreibe mein Tagebuch seit der 5. Klasse.
   ....
6. Pilot ist ein Beruf. Alle Kinder träumen von dem Beruf.
   ....

Das kann ich auf Deutsch

über Schule und Berufe an der Schule sprechen

Ich bin zwölf Jahre zur Schule gegangen. Meine Lieblingsfächer waren Sport und Geschichte. In Deutschland ist die Eins die beste Note. Bei uns dauern die Sommerferien sechs Wochen.
Schulsozialarbeiter beraten Schüler, Lehrer und Eltern. Als Hausmeister hat man viel zu tun. Viele Lehrer arbeiten auch am Wochenende.

über Wünsche oder etwas Irreales sprechen

Ich hätte gern mehr Zeit und weniger Arbeit. Wenn ich doch nach Berlin ziehen könnte!

Wortfelder

Schule

die Musiklehrerin, der Hausmeister, die Schulsozialarbeiterin, die Hauptschule, die Realschule, das Gymnasium, der Schulabschluss, die Schulfreunde, die Schulzeit, die Mathematik, die Biologie, die Pause

Grammatik

Konjunktiv II (Präsens): ***wäre, würde, hätte, könnte***

Ich **wäre** gerne am Meer. Ich **würde** gerne am Strand **liegen**.
Wenn ich Zeit zum Kochen **hätte**, **würde** ich euch zum Essen **einladen**.
Ich wünschte, ich **hätte** nettere Kollegen.
Er **könnte** dir helfen.

Wiederholung

Relativsätze:
Die Schulsozialarbeiterin ist eine Frau, **die** Schülern bei Problemen hilft.
Eine Schulfreundin ist eine Person, **mit der** man in der Schule viel Spaß hatte.

Aussprache

Laute hören: ***a – ä, u – ü, o – ö***

Wir waren zwei Wochen am Meer. Urlaub am Meer wäre mir zu langweilig!
Er konnte mir leider nicht helfen. Könntest du es nicht versuchen?

27

Laut lesen und lernen

Wenn ich doch wüsste, was sie sich zum Geburtstag wünscht! Ich habe keine Lust mehr, ich würde jetzt am liebsten nach Hause gehen! Wenn er jetzt nur hier wäre! Ich wünschte, ich hätte mehr Zeit.

Zertifikatstraining

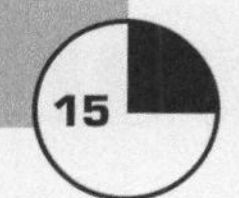

Hörverstehen Teil 1 (Globales Verstehen)

Sie hören fünf kurze Texte. Sie hören diese Texte nur einmal. Entscheiden Sie beim Hören, ob die Aussagen 1 bis 5 richtig oder falsch sind. Markieren Sie Ihre Lösungen auf dem Antwortbogen unten. Markieren Sie (R) gleich richtig oder (F) gleich falsch.

Lesen Sie jetzt die Aussagen 1 bis 5. Sie haben 30 Sekunden Zeit.

1. Der Mann hat seine Schulfreundin geheiratet.
2. Der Sprecher hatte in der Schule einen schweren Unfall.
3. Die Sprecherin hatte keine Freunde in der Schule.
4. Der Sprecher hat einen Golfkurs erfolgreich absolviert.
5. Die Leistungen der Frau in der Schule waren sehr gut.

28

Hören Sie nun die Interviews.

Hörverstehen Teil 3 (Selektives Verstehen)

Sie hören fünf kurze Texte. Sie hören jeden Text zweimal. Entscheiden Sie beim Hören, ob die Aussagen 6 bis 10 richtig oder falsch sind. Markieren Sie Ihre Lösungen auf dem Antwortbogen unten. Markieren Sie (R) gleich richtig oder (F) gleich falsch.

6. Es gibt einen Stau in Ihrer Richtung.
7. Frau Michael hat am Dienstagvormittag keine Sprechzeiten.
8. Sie müssen in Frankfurt in den Zug am Gleis 7 umsteigen.
9. Der Apfelsaft kostet heute € 1,29.
10. Am Wochenende wird es leicht regnen.

29

Hören Sie nun die Texte.

Zertifikat Deutsch

ANTWORTBOGEN

Hörverstehen
Teil 1 und 3

1.	R	F	5.	R	F	9.	R	F
2.	R	F	6.	R	F	10.	R	F
3.	R	F	7.	R	F			
4.	R	F	8.	R	F			

1 Training für den Beruf: Eine Präsentation vorbereiten und durchführen

1 Zwei Präsentationen

a) Sehen Sie sich die Fotos an. Was denken Sie: Welche Berufe haben die Leute? Worüber sprechen sie?

b) Ordnen Sie die Sätze den Fotos zu und bringen Sie sie in die richtige Reihenfolge.

1. *b* Meine Damen und Herren, ich stelle Ihnen heute den Prototyp unserer neuen Espressomaschine vor.
2. Danach kontrollieren wir die Stromleitungen in der Küche.
3. So, Kollegen. Hier ist unser Arbeitsplan für diese Woche. Und das ist die Materialliste.
4. Sie ist praktischer und außerdem leiser und schneller als das alte Modell.
5. Zuerst müssen wir die Wasserleitungen verlegen.
6. Deshalb starten wir noch vor Weihnachten eine große Werbeaktion in den Medien.
7. Zum Schluss bauen wir die Küche ein und schließen die Geräte an.
8. Leider ist sie auch etwas teurer geworden, aber die Qualität ist besser.

2 Über Präsentationen sprechen. Lesen und ergänzen Sie die Tipps.

In vielen Berufen muss man etwas präsentieren und vor anderen Menschen über ein Thema sprechen. Zum Beispiel über eine Statistik, über ein Produkt, das andere noch nicht kennen, oder über einen Arbeitsplan.

Präsentationstipps

1. Man muss die Zuhörer direkt und freundlich anschauen.
2. Eine Präsentation soll eine klare Gliederung haben. Der erste und der letzte Satz sind besonders wichtig: Der erste Satz muss Interesse wecken.
3. Eine Präsentation darf nicht zu lang sein.

3 Eine Produktpräsentation in Gruppen vorbereiten

a) Bringen Sie einen Gegenstand mit, den Sie sehr praktisch finden oder den Sie besonders mögen.

b) Notieren Sie wichtige Redemittel und Sätze für Ihre Präsentation.

Einleitung: Meine Damen und Herren, ich begrüße Sie ganz herzlich.
Heute zeige/präsentiere ich Ihnen den/die/das …
Ich möchte Ihnen … vorstellen.

Hauptteil: Ich beginne mit / komme jetzt zu den Vorteilen / zum wichtigsten Punkt.
Das Produkt (diese Zahnbürste / diese Tasche / …) ist praktisch / billig / köstlich / besonders hell / schnell / sehr nützlich / hat eine schöne Form.
Deshalb kann ich ihn / sie / es / dieses Produkt sehr empfehlen …

Schluss: Ich hoffe, ich habe Ihr Interesse geweckt.
Ich bedanke mich / darf mich für Ihre Aufmerksamkeit bedanken.
Ich beantworte jetzt gerne Ihre Fragen.

c) Bereiten Sie die Präsentation vor. Sie soll nicht länger sein als sechs Sätze.

d) Führen Sie Ihre Präsentation durch. Fragen Sie danach im Kurs: Was war (sehr) gut? Was kann man noch besser machen?

4 Projektvorschlag. Bereiten Sie zu Hause eine kurze Präsentation vor und stellen Sie sie im Kurs vor.

Beispiele

– eine Stadt, in der ich gern wohnen möchte
– ein Film, den ich gerade gesehen habe und gut finde
– eine Person, die ich interessant finde und gerne treffen möchte
– ein Buch, das ich gerade gelesen habe und empfehlen möchte

2 Wörter – Spiele – Training

1 Eine Talkrunde: Noten in der Schule – ja oder nein?

a) Lesen Sie den Text und wählen Sie eine Rollenkarte aus. Was könnte „Ihre" Person in der Diskussion sagen? Notieren Sie mindestens vier Argumente.

Sie sind im Fernsehen zu Gast in der Sendung „Sieben Köpfe – sechs Meinungen", die von Sina Stressig, einer bekannten Moderatorin, geleitet wird. Heute geht es um die Frage: „Noten in der Schule – ja oder nein?" Schüler, Eltern und Lehrer diskutieren.

Noten sind wichtig!
Ernst Energisch
62 Jahre
korrekt, energisch
Mathematiklehrer

Noten sind dumm!
Leni Lustig
28 Jahre
fröhlich, tolerant
Sportlehrerin

Ich will nur Einsen!
Theresa Tüchtig
12 Jahre
sehr fleißig
Schülerin

Noten sind Stress für Kinder!
Herta Tüchtig
37 Jahre
gemütlich, ruhig
Sekretärin

Ich will, dass meine Tochter nur Einsen hat!
Hans Tüchtig
45 Jahre
fleißig, energisch
Bankangestellter

Noten? Egal!
Flori Faul
11 Jahre
ziemlich faul
Schüler

b) Ergänzen Sie die Redemittel im Heft. Sammeln Sie in den Einheiten 1 bis 5.

seine Meinung ausdrücken	jmdm. zustimmen	jmdm. widersprechen	Wünsche äußern
Ich denke, dass	Das sehe ich auch so!		

c) Spielen Sie die Talkrunde.

2 Flüsterdiktat. Diktieren Sie den Text Ihrem/Ihrer Partner/in. Sie dürfen nicht laut sprechen, sondern müssen flüstern. Dann wechseln Sie und Ihr/Ihre Partner/in diktiert Ihnen den Text auf Seite 205.

Rüdiger Schmitz ist verliebt, aber nicht in seine Ehefrau! Er hat die Neue im Internet kennen gelernt. Eine tolle Frau: sie kocht, schreibt wunderschöne Gedichte und spielt Klavier. Während seine Frau in der Küche steht, geht er zum Computer, um sich mit der Neuen zu verabreden. Morgen will er sie das erste Mal treffen! Er schreibt: 14 Uhr im Cafe „Zum Glück". Ich warte dort auf dich! Wolfgang.

3 Testen Sie sich. **Kreuzen Sie an. Tauschen Sie dann Ihr Buch mit einem/einer Kursteilnehmer/in. Gehen Sie zur Seite 206, zählen Sie jeweils die Punkte zusammen und lesen Sie ihm/ihr das Profil vor.**

TEST Welcher Beziehungstyp sind Sie?

1 **Sie haben keine Lust abzuwaschen. Ihr/e Partner/in hat sie aber darum gebeten. Wie lösen Sie das Problem?**

a Ich gehe ins Kino und komme spät zurück.

b Ich wasche ab.

c Ich suche bei Ebay nach einer Spülmaschine.

2 **Sie sind mit Ihrem/Ihrer Partner/in zum Konzert verabredet. Sie müssen noch arbeiten. Was tun Sie?**

a Ich gehe zum Konzert und arbeite dann.

b Ich arbeite weiter und sage per SMS ab.

c Ich gehe natürlich zum Konzert.

3 **Ihr/e Partner/in hat Lust nach Spanien zu reisen. Sie wollen lieber in Schweden Urlaub machen. Wo fahren Sie hin?**

a Wir fahren getrennt.

b Wir fahren nacheinander in beide Länder.

c Wir fahren natürlich nach Spanien.

4 **Ihr/e Partner/in hasst Sport. Sie sind sehr aktiv. Wie verbringen Sie den Sonntagvormittag?**

a Allein mit meinem Mountainbike.

b Ich treibe zwei Stunden Sport und bin dann zu Hause.

c Ich überrede sie/ihn mitzukommen.

5 **Sie mögen Ihre/n Ex. Das findet Ihr/e neue/r Partner/in gar nicht witzig. Treffen Sie sich trotzdem?**

a Ich breche den Kontakt vollständig ab.

b Ich rede vorher mit beiden Seiten.

c Ich treffe mich mit der/dem Ex.

6 **Ihr/e Partner/in ist knapp bei Kasse und bittet Sie um Geld. Wie reagieren Sie?**

a Ich versuche mit ihr/ihm eine andere Lösung zu finden.

b Das ist ihr/sein eigenes Problem. Nix da!

c Ich gebe ihm/ihr sofort das Geld.

4 Was man gleichzeitig tun kann. **Bilden Sie zwei Gruppen. Jede Gruppe schreibt mindestens 20 Tätigkeiten auf verschiedene Zettel. Die Zettel werden zwischen den Gruppen ausgetauscht. Jede Gruppe kombiniert zwei Tätigkeiten, die man gleichzeitig tun kann. Die Gruppe, die in zwei Minuten die meisten Zettelpaare findet und aufhängt, gewinnt.**

3 Grammatik und Evaluation

1 **Nebensätze mit *während*. Wer macht was gleichzeitig? Schreiben Sie so viele Sätze mit *während* wie möglich.**

*Während er isst, hört er Musik.
Während sie schläft, passt er auf das Kind auf.
Während Bello ...*

2 **Ein großer Pädagoge. Ergänzen Sie die Verben im Präteritum.**

Johann Heinrich Pestalozzi, 1746 in Zürich geboren, ……………………[1] (sein) ein berühmter Schweizer Pädagoge. Er ……………………[2] (studieren) zuerst in Zürich, ……………………[3] (abbrechen) sein Studium aber ………[3] und ……………………[4] (gehen) in eine landwirtschaftliche Lehre. Pestalozzi ……………………[5] (heiraten) Anna Schulthess im Jahre 1769. Die beiden ……………………[6] (holen) 1771 fast 40 Kinder auf ihr Landgut und ……………………[7] (geben) ihnen Schulunterricht. Pestalozzi ……………………[8] (finden) es wichtig, den Menschen zu stärken. Seine Ideen ……………………[9] (beschreiben) er in fast 45 Büchern. Er ……………………[10] (sterben) 1827 in Brugg.

3 **Ratschläge geben. Ordnen Sie zu und geben Sie passende Ratschläge.**

Eine gute Bekannte ist erkältet. **1**
Ihr Bruder möchte einen Computer kaufen. **2**
Ihre Mutter möchte einen Yogakurs machen. **3**
Ihre ältere Schwester findet sich zu dick. **4**

a Zeitschrift *PC-Welt* kaufen
b mehr Obst und Gemüse essen
c sich ins Bett legen
d bei der Volkshochschule anrufen

Du solltest/könntest/müsstest dich ins Bett legen.

4 **Alltagsprobleme: *darum, deshalb, deswegen.* Verbinden Sie die Sätze wie im Beispiel und schreiben Sie die Geschichte zu Ende.**

1. Ich bin todmüde. – Ich gehe heute früher ins Bett.
2. Ich liege früher im Bett. – Ich höre das Telefon nicht.
3. Ich höre das Telefon nicht. – Meine Freundin Rita erreicht mich nicht.
4. Rita erreicht mich nicht. – …

Ich bin todmüde, deswegen gehe ich heute früher ins Bett. Ich liege früher im Bett, darum ...

5 **Über Geschmack kann man streiten. Ergänzen Sie die Endungen der Adjektive nach dem bestimmten Artikel und lesen Sie dann den Dialog zu zweit.**

■ Schau dir doch mal den jung.......... Mann in diesem schön.......... Anzug an.

◆ Ich mag die braun.......... Farbe nicht und die schwarz.......... Schuhe passen überhaupt nicht dazu.

■ Aber die pinkfarben.......... Krawatte und das grün.......... Hemd sind fantastisch.

◆ Entschuldige, aber die blond.......... Haare sind in Kombination mit dem grün.......... Hemd und diesem wirklich hässlich.......... braun.......... Anzug die perfekt.......... Katastrophe.

■ Verstehe. Du würdest also das grün.......... Hemd mit einem langweiligen schwarzen Anzug tragen und dazu die schwarz.......... Schuhe anziehen. Also ich mag die bunt.......... Variante lieber!

6 **Was für ein Tag!**

a) Notieren Sie zehn Adjektive auf einem Zettel. *1. schön, 2. ...*

b) Schreiben Sie den Text in Ihr Heft und ergänzen Sie dabei die Adjektive in der Reihenfolge, wie sie in Ihrer Liste stehen. Achten Sie auf die Endungen.

Ein **1** Tag! Um sieben Uhr stehe ich auf und mache mir einen **2** Kaffee. Dann geht es zur Arbeit. Oft ist schon ein **3** Kollege oder eine **4** Kollegin da. Spätestens gegen zehn Uhr kommt der Chef und wünscht uns allen einen **5** Tag. Immer hat er eine **6** Frage, die ich beantworten soll. Gegen 13 Uhr gehe ich meistens in ein **7** Restaurant oder in ein **8** Café. Spätestens um 18 Uhr verlasse ich mein Büro und bummle gern auch einmal durch eine **9** Einkaufsstraße. Was für ein **10** Tag!

c) Lesen Sie Ihren Text im Kurs vor.

7 **Systematisch wiederholen – Selbstevaluation. Wiederholen Sie die Übungen. Was meinen Sie: ☺ oder ☹?**

Das kann ich auf Deutsch	Einheit	Übung	☺ gut	☹ nicht so gut
1. sagen, wofür Sie wie viel Zeit am Tag brauchen	1	2.2	■	■
2. sagen, was Sie im Alltag stresst	2	1.3	■	■
3. einen Ratschlag geben	2	3.4	■	■
4. jemandem zustimmen oder etwas ablehnen	3	1.4	■	■
5. über einen Arbeitsunfall berichten	4	3.3b	■	■
6. über Ihre Schulbiografie sprechen	5	1.3	■	■

4 Videostation 1

1 Konflikte im Büro

a) Sprechen Sie über die Fotos und beantworten Sie die Fragen.

1. Wer sind die Personen? – 2. Wo sind sie? – 3. Was ist das Problem? –
4. Auf welche Person passen die Adjektive: wütend, sauer, ängstlich, aggressiv?

b) Ergänzen Sie den Dialog.

Track 2

Wo ist, verdammt noch mal, ...
jobTV24.de

Wenn Sie ...
jobTV24.de

Jetzt sitzen Sie nicht ...
jobTV24.de

...
jobTV24.de

c) Vergleichen Sie Ihren Dialog mit dem Film.

2 Die Beraterin gibt Tipps. **Sehen Sie sich die Szene an und machen Sie Notizen. Schreiben Sie einen Text.**

Track 3

jobTV24.de
Wichtig ist, dass Sie
sich zuerst zwei Fragen stellen:
1. ...
2. ...
Sie sollten nicht grinsen und sich nicht klein
machen, sondern ...
Wenn er eine Pause macht,
können Sie ...

3 Eine Messe für Schüler und Schülerinnen. Lesen Sie die Aussagen und sehen Sie den Filmausschnitt über die Messe. Korrigieren Sie die Aussagen.

1. 30 000 Schüler/innen besuchen diese Kölner Messe an vier Tagen.
2. Auf dieser Messe informieren Unternehmen, Verbände, FHs und Schulen über Berufe.
3. Die großen Firmen haben keine Probleme, die richtigen Bewerber/innen für ihre Ausbildungsplätze zu finden.
4. Alle Schüler/innen wissen schon genau, was sie wollen.

Track 4

1. ....
2. ....
3. ....
4. ....

4 Eine Textzusammenfassung ergänzen. Sehen Sie sich das Messeinterview an und ergänzen Sie den Text.

Track 6

Die Firma Bayer hat ....¹ Mitarbeiter in allen Teilen der Welt. In Deutschland sind es ....². Jedes Jahr beginnen hier fast ....³ Auszubildende in über ....⁴ Ausbildungsberufen in den Feldern Naturwissenschaften und Technik. Mit der Kombination von Berufsausbildung und Studium kann man eine ganz normale ....⁵ mit einem ....-⁶ oder Bachelorstudium kombinieren. Das „duale" Studium verbindet zum Beispiel den ....-⁷ oder Diplomkaufmann mit einem Bachelorabschluss. Mit diesem Abschluss landet man im mittleren ....⁸, zum Beispiel im Marketingbereich. Für diesen Karriereweg muss man ....⁹ haben. Für Gesamtschüler in Klasse ....¹⁰ gibt es aber auch Berufe, für die man kein Abitur braucht. Auf der Bayer-Internetseite gibt es genauere Informationen.

Die Welt zu Gast bei Freunden

Anpfiff

Sommer 2006: Deutschland feiert mit der Welt – in den Stadien, auf den Straßen und Plätzen der Städte. Euphorie und gute Laune überall. Wenn der Ball rollt, bleibt niemand zu Hause. Tausende Deutsche sitzen zusammen mit Menschen aller Welt in den Cafés und Kneipen, stehen auf den Marktplätzen oder gehen zur Fanmeile, um die Spiele zu sehen. Die Stimmung wird immer fröhlicher. Schwarz-rot-goldene Flaggen wehen im ganzen Land. Deutschland ist in Partylaune. Aber der Traum vom Weltmeistertitel endet am 4. Juli nach 119 Minuten. Doch die Party geht weiter.

Während dieser Zeit ist Filmregisseur Sönke Wortmann mit seiner Kamera dabei, nein – er ist mittendrin. Er folgt den Jungs der Nationalmannschaft Tag und Nacht, sieht sie lachen und weinen, feiern und arbeiten. Er folgt ihnen bis in die Kabine, er filmt Klinsmann, den Trainer der Mannschaft, er filmt die Freudenfeiern und die Enttäuschung nach dem verlorenen Halbfinale gegen Italien: 2:0 – nicht nur die Jungs weinen. Der Film „Deutschland – Ein Sommermärchen" zeigt, was man nicht auf dem Rasen zu sehen bekam und fängt sie ein – die Sommermärchenstimmung.

Tor

Was kann man mit einer Fußballseite machen

- über Fußball diskutieren
- über Fußball im eigenen Land berichten
- sich über ein Spielergebnis informieren
- Fußballwörter lernen, weitere sammeln und ein Wortfeld zum Thema Fußball machen
- die Lieblingsmannschaft vorstellen

Fußball in Deutschland: Der Ball ist rund!

In Deutschland sind sechs Millionen Menschen in über 27 000 Fußballvereinen aktiv. Hinzu kommen noch etwa vier Millionen Menschen, die als sogenannte Hobbykicker in ihrer Freizeit in Hobby- und Betriebsmannschaften regelmäßig Fußball spielen. Es gibt eine Bundesliga (1. Liga), in der 18 Vereine um den Titel kämpfen und eine 2. Liga, in der 40 Vereine um den Aufstieg in die Bundesliga spielen.

Kopfball

Freistoß

Abseits

Der 34. Spieltag 1. Bundesliga am 19.05.2007

HEIM		GAST	ERGEBNIS
Bayern München	:	1. FSV Mainz 05	5:2
Hamburger SV	:	Alemannia Aachen	4:0
FC Schalke 04	:	Arminia Bielefeld	2:1
Bayer Leverkusen	:	Borussia Dortmund	2:1
VfB Stuttgart	:	Energie Cottbus	2:1

Fußball-Drama

„Ich sage nicht, ich hätte den Ball besser links oder rechts oben ins Eck schießen sollen. Ich sage: Ich hätte diesen Ball überhaupt nicht anrühren dürfen! Es war nicht meine Aufgabe, Elfmeter zu schießen, aber keiner hatte den Mut, es zu machen, auch nicht der Kapitän, also habe ich es getan. Ja, ich habe verschossen, und ja, das war für 1860 München der Abstieg in die zweite Liga. Noch heute, drei Jahre später, werde ich darauf angesprochen. Die Medien haben so getan, als ob ich ganz allein Schuld am Abstieg hätte, der ‚FC Francis Kioyo'. Aber wir hatten 34 Punktspiele, nicht nur das eine, oder? Ich habe seitdem nie mehr einen Elfmeter geschossen." *Francis Kioyo, 27, ist heute Stürmer des FC Energie Cottbus.*

FUSSBALL-LIED
Der Theodor, der Theodor,
Der steht bei uns im Fußballtor.
Wie der Ball auch kommt,
Wie der Schuss auch fällt,
Der Theodor, der hält!
Die Männeraugen werden wach,
Die Mädchenherzen werden schwach,
Wie der Ball auch kommt,
Wie der Schuss auch fällt,
Der Theodor, der hält!

Was kann man mit einer Fußballseite machen

- ein Fußballlied hören 1.32 und (mit)singen
- sich einen Fußballfilm anschauen
- Vereine recherchieren und vorstellen
- den persönlichen Lieblingsspieler vorstellen
- nichts, wenn man Fußball nicht mag ☺

Partnerseiten

Einheit 3, Aufgabe 1.4

Partnerspiel: Pro und Contra. „Männer sollten mehr im Haushalt tun".
Partner/in A hat die Pro-Karte auf Seite 48. Partner/in B die Contra-Karte. Lesen Sie die Argumente und sammeln Sie mindestens zwei weitere. Diskutieren Sie. Die Redemittel auf Seite 48 helfen Ihnen.

Männer müssen mehr im Haushalt helfen.
Das sehe ich nicht so. Frauen arbeiten oft nur halbtags.

Contra: Männer sollten nicht mehr im Haushalt tun
- Frauen machen das schon immer, sie können das besser
- Frauen haben mehr Zeit
- Männer arbeiten hart im Job

Station 1, Aufgabe 2.2

Flüsterdiktat. Diktieren Sie nun Ihrem Partner / Ihrer Partnerin. Flüstern Sie!

*Isabella Schmitz ist müde.
Kochen, waschen, Blumen gießen, einkaufen – sie ist Hausfrau und seit 25 Jahren mit Rüdiger verheiratet. Aber glücklich ist sie nicht. Wenn sie etwas Besonderes kocht, sagt er, dass es ihm zu modern ist. Dass sie zum Klavierunterricht geht, interessiert ihn nicht. Dass sie Gedichte schreibt, weiß er nicht. Aber jetzt ist Schluss! Nach dem Abwasch geht sie zum Computer und freut sich über eine Mail.
Morgen wird alles anders!*

Station 1, Aufgabe 2.3

Haben Sie sich getestet? Hier finden Sie die Auswertung zum Test „Welcher Beziehungstyp sind Sie?" auf Seite 97. Zählen Sie die Punkte zusammen und lesen Sie das passende Profil vor.

Auswertung

	1	2	3	4	5	6
a	0	2	1	0	3	2
b	3	1	2	3	2	0
c	2	3	3	2	1	3

Punkte gesamt: ....

0–5 Punkte

der/die Egoist/in

Sie denken, Sie sind ein unkomplizierter Mensch? Sie meinen effektiv zu kommunizieren? Ihre Einstellung zur Beziehung: keine Kompromisse! Doch warum haben Sie eigentlich eine Beziehung? Machen Sie ab und zu einen Kompromiss – auch wenn Sie meinen, dass es für Sie unpraktisch und unbequem ist. Ihr/e Partner/in wird sich neu in Sie verlieben. Das ist sicher!

6–12 Punkte

der/die Diplomat/in

Sie machen viel, aber nicht alles für Ihre/n Liebste/n? Sie suchen immer nach einer guten Lösung für beide Seiten? Richtig! Sie haben eigene Hobbys, aber auch Zeit für die Beziehung. Sie sind ein gefühlvoller Mensch und wissen, was Ihr/e Partner/in braucht. Sie gehen eigene Wege, sind aber auch kompromissbereit. Mit Ihnen kann man glücklich sein!

13–18 Punkte

der/die Selbstlose

Sie machen alles für Ihren/Ihre Partner/in? Sie sind unfähig ‚Nein' zu sagen. Sind Sie ein romantischer und freundlicher Mensch? Ja! Es ist aber in einer Beziehung wenig sinnvoll, wenn man unkritisch mit dem/der Partner/in ist. Sind Sie nicht unehrlich, wenn Sie meinen, keine eigenen Wünsche zu haben? Sagen Sie auch mal ‚Nein'! Sie sind trotzdem ein sympathischer Mensch.

Grammatik auf einen Blick – *studio d B1*

Sätze

1 Gleichzeitigkeit: Nebensätze mit *während* E1

2 Infinitiv mit *zu* E3

3 Etwas begründen: *darum, deshalb, deswegen* E2

4 Ratschläge, höfliche Bitten und irreale Wünsche ausdrücken: der Konjunktiv II (Präsens) (A2), E2, E5

5 Übersicht: Verben im Satz
   1 Hauptsätze
   2 Hauptsätze vor Nebensätzen
   3 Nebensätze vor Hauptsätzen
   4 Hauptsätze und Hauptsätze

Wörter

6 Wortbildung
   1 Nomen mit *-ung* (A2)
   2 Aus Verben Nomen machen (A2)
   3 Nominalisierungen mit *zum* E1
   4 Verkleinerungsformen mit *-chen* E4
   5 Adjektive in Gegensatzpaaren mit *un-*, *-voll* und *-los* E3

7 Übersicht: Possessivartikel

8 Übersicht: Relativpronomen

9 Übersicht: Adjektive vor Nomen E4
   1 Adjektivdeklination: bestimmter Artikel
   2 Adjektivdeklination: unbestimmter Artikel
   3 Adjektivdeklination: ohne Artikel

10 Graduierende Adverbien: *ein bisschen, ziemlich, sehr, besonders* E2

11 Indefinita – unbestimmte Menge (Personen und Sachen) (A2)

12 Präteritum der regelmäßigen und unregelmäßigen Verben E1

13 Übersicht: Konjunktiv II (Präsens) der Modalverben E2

14 Konjunktiv II: *wäre, hätte, würde* E5

15 Konjunktiv II: Gebrauch (A2), E2, E5

1 Gleichzeitigkeit: Nebensätze mit *während*

E1

Sarah **macht** Notizen, während sie telefoniert.

Während Sarah telefoniert, **macht** sie Notizen.

Regel Im Nebensatz steht das Verb am Ende.
Der Nebensatz beginnt mit *während*, er kann vor oder nach dem Hauptsatz stehen.

2 Infinitiv mit *zu*

E3

Vergiss nicht, die Blumen **zu gießen**!

Peter versucht, seiner Freundin eine neue CD **mitzubringen**.

Hanna ist es wichtig, über wirkliche Probleme offen **zu sprechen**.

Die Müllers haben geplant, in den Ferien zusammen **zu verreisen**.

Karin hat keine Zeit, die Wohnung **aufzuräumen**.

Haben Sie Lust, einen Tanzkurs **zu machen**?

Regel Der Infinitiv mit *zu* steht oft am Ende des Satzes. Bei trennbaren Verben steht *zu* zwischen dem trennbaren Verbteil und dem Verbstamm.

3 Etwas begründen: *darum, deshalb, deswegen*

E2

Ich arbeite an einem neuen Projekt, **darum/deshalb/deswegen** komme ich oft spät nach Hause.

Regel Mit *darum/deshalb/deswegen* beginnt ein Hauptsatz, das Verb steht auf Position 2.

Minimemo
darum, deshalb, deswegen – drei Wörter, eine Bedeutung

4 Ratschläge, höfliche Bitten und irreale Wünsche ausdrücken: der Konjunktiv II (Präsens)

E2, E5

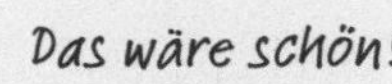

Du **solltest** gesünder leben.

Ihr **müsstet** mal wieder zusammen ausgehen.

Ich **hätte** gerne einen Kaffee!

Könnten Sie mir bitte ein Glas Wasser bringen?

Ich **wäre** gern 18!

Ich **wünschte**, die Schüler **wären** fleißiger.

Ich **würde** am liebsten sofort in den Urlaub fahren.

Wenn mir mein Mann im Haushalt helfen **würde**, **hätte** ich mehr Zeit.

5 Übersicht: Verben im Satz

1 Hauptsätze

		Position 2		
	Ich	fahre	jetzt nach Hause.	
lassen	Ich	lasse	Maria nach Hause	fahren.
brauchen	Ich	brauche	Maria nicht nach Hause	zu fahren.
Modalverb	Ich	muss	jetzt nach Hause	fahren.
Perfekt	Ich	bin	gestern zu spät nach Hause	gefahren.
Plusquamperfekt	Ich	hatte	gestern versucht, dich	anzurufen.
Futur	Ich	werde	heute spät nach Hause	fahren.
Zeitangabe am Anfang	Gestern	bin	ich zu spät nach Hause	gefahren.
Imperativ	Fahren	Sie	nach Hause!	
Frage	Fahren	Sie	nach Hause?	
	Sind	Sie	mit dem Auto nach Hause	gefahren?
	Wann	fahren	Sie nach Hause?	
	Wovon	träumst	du?	
Konj. II (Präsens)		Würden	Sie mich bitte	vorbeilassen?
	Ich	würde	gern Urlaub	machen.
	Du	solltest	zum Arzt	gehen.
	Ich	hätte	gern einen Kaffee.	
	Sie	wäre	gern wieder 18.	

2 Hauptsätze vor Nebensätzen

					Nebensatzende
dass	Peter	hat	gesagt,	**dass** er keine Zeit	hat.
weil	Ich	kam	zu spät,	**weil** ich den Bus	verpasst hatte.
wenn	Ich	höre	gern Musik,	**wenn** ich gute Laune	habe.
damit	Ich	nehme	das Auto,	**damit** ich schneller	bin.
um … zu	Ich	fahre	nach Tübingen,	**um** meine Mutter	**zu** besuchen.
Infinitiv mit zu	Sie	hat	keine Lust,	die Wohnung	aufzuräumen.
Relativsatz	Das	ist	die Frau,	**die** ich in der Stadt	gesehen habe.
als	Sie	hat	angerufen,	**als** ich nicht da	war.
während	Er	hört	Musik,	**während** er Zeitung	liest.
obwohl	Er	putzt	das Auto,	**obwohl** er keine Lust	hat.
seit	Clara	spielt	Klavier,	**seit** sie zur Schule	geht.
ob	Ich	möchte	wissen,	**ob** du morgen	kommst.

3 Nebensätze vor Hauptsätzen

	Position 2		
Weil ich den Bus verpasst hatte,	kam	ich zu spät.	
Wenn ich gute Laune habe,	höre	ich gern Musik.	
Damit ich schneller bin,	nehme	ich das Auto.	
Um meine Mutter zu besuchen,	fahre	ich nach Tübingen.	
Als ich krank war,	hat	meine Mutter	angerufen.
Während er Zeitung liest,	trinkt	er Kaffee.	
Obwohl er keine Lust hat,	putzt	er das Auto.	
Seit Clara zur Schule geht,	spielt	sie Klavier.	

4 Hauptsätze und Hauptsätze

Mein Freund möchte in den Urlaub fahren,	**aber** ich habe leider keine Zeit.
Ich habe mir ein neues Fahrrad gekauft,	**denn** mein altes Rad war kaputt.
Ich habe die Kinokarten gekauft,	**und** ich habe Paul angerufen.
Morgen gehe ich schwimmen,	**oder** ich mache einen Einkaufsbummel.
Ich arbeite oft sehr lange,	**darum** gehe ich selten ins Kino.
Die EU wird oft kritisiert,	**trotzdem** wollen viele Länder in die EU.

6 Wortbildung

1 Nomen mit *-ung*

die Rechnung – rechnen
die Entscheidung – entscheiden
die Prüfung – prüfen
die Regierung – regieren
die Veranstaltung – veranstalten
die Leitung – leiten

Krombacher
EINE PERLE DER NATUR.

Rechnung

Verzehr	EUR
SPEISEN	
Wiener Schnitzel	12,50
Steak 250 g	14,00
GETRÄNKE	
Eistee	1,70
Cola	2,00
insg.	30,20

! Lerntipp
In Wörtern mit *-ung* findet man meistens ein Verb.

2 Aus Verben Nomen machen

rauchen – Im Restaurant ist **das** Rauchen verboten!
lachen – Mediziner sagen, dass **das** Lachen gesund ist.
heiraten – Manche Leute denken, dass **das** Heiraten nicht mehr modern ist.
bauen – **Das** Bauen wird jedes Jahr teurer.

Regel Nomen aus Verben haben den Artikel *das*.

E1 3 Nominalisierungen mit *zum*

lesen – zum Lesen
lernen – zum Lernen
arbeiten – zum Arbeiten

Ich hätte gern mehr Zeit zum Lesen.

E4 4 Verkleinerungsformen mit *-chen*

die Suppe – das Süpp**chen**
das Haus – das Häus**chen**
der Wein – das Wein**chen**

Regel Verkleinerungsformen haben den Artikel *das*.

E3 5 Adjektive in Gegensatzpaaren mit *un-*, *-voll* und *-los*

glücklich – **un**glücklich
romantisch – **un**romantisch

humor**voll** – humor**los**
sinn**voll** – sinn**los**

Ich hätte gerne einen romantischen Mann. Mit **un**romantischen Männern kann ich nichts anfangen!

7 Übersicht Possessivartikel

		der	*das*	*die*
Singular	Nominativ	mein Hund	mein Auto	meine Firma
	Akkusativ	meinen Hund	mein Auto	meine Firma
	Dativ	meinem Hund	meinem Auto	meiner Firma
	Genitiv	meines Hundes	meines Autos	meiner Firma
Plural	Nominativ	meine Hunde/Autos/Firmen		
	Akkusativ	meine Hunde/Autos/Firmen		
	Dativ	meinen Hunden/Autos/Firmen		
	Genitiv	meiner Hunde/Autos/Firmen		

Minimemo
der/das
→ Genitiv -es
die/die
→ Genitiv -er

Regel Alle Possessivartikel *(sein, dein, unser, …)* und auch *(k)ein* haben die gleichen Endungen wie *mein-*.

8 Übersicht: Relativpronomen

E9

Singular	Nominativ	der	das	die
	Akkusativ	den	das	die
	Dativ	dem	dem	der
Plural	Nominativ	die		
	Akkusativ	die		
	Dativ	denen		

9 Übersicht: Adjektive vor Nomen

E4

1 Adjektivdeklination: bestimmter Artikel

Nach dem bestimmten Artikel *(der, das, die)* können die Adjektive zwei verschiedene Endungen haben: *-e* oder *-en*.

Singular	*der*	*das*	*die*
Nominativ	der kleine Hund	das kleine Auto	die kleine Straße
Akkusativ	den kleinen Hund	das kleine Auto	die kleine Straße
Dativ	dem kleinen Hund	dem kleinen Auto	der kleinen Straße
Genitiv	des kleinen Hundes	des kleinen Autos	der kleinen Straße

Plural	*die*
Nominativ	die kleinen Hunde/Autos/Straßen
Akkusativ	die kleinen Hunde/Autos/Straßen
Dativ	den kleinen Hunden/Autos/Straßen
Genitiv	der kleinen Hunde/Autos/Straßen

! Lerntipp
Die häufigste Adjektivendung ist -en.

2 Adjektivdeklination: unbestimmter Artikel

Singular	*der*	*das*	*die*
Nominativ	(k)ein groß**er** Hund	(k)ein groß**es** Auto	(k)eine groß**e** Straße
Akkusativ	(k)einen groß**en** Hund	(k)ein groß**es** Auto	(k)eine groß**e** Straße
Dativ	(k)einem groß**en** Hund	(k)einem groß**en** Auto	(k)einer groß**en** Straße
Genitiv	(k)eines groß**en** Hundes	(k)eines groß**en** Autos	(k)einer groß**en** Straße

Plural	*die*
Nominativ	keine groß**en** Hunde/Autos/Straßen
Akkusativ	keine groß**en** Hunde/Autos/Straßen
Dativ	keinen groß**en** Hunden/Autos/Straßen
Genitiv	keiner groß**en** Hunde/Autos/Straßen

3 Adjektivdeklination: ohne Artikel

Singular	Maskulinum	Neutrum	Femininum
Nominativ	grün**er** Wald	grün**es** Blatt	grün**e** Wiese
Akkusativ	grün**en** Wald	grün**es** Blatt	grün**e** Wiese
Dativ	grün**em** Wald	grün**em** Blatt	grün**er** Wiese
Genitiv	grün**en** Waldes	grün**en** Blattes	grün**er** Wiese

Plural	Maskulinum/Neutrum/Femininum
Nominativ	grün**e** Wälder/Blätter/Wiesen
Akkusativ	grün**e** Wälder
Dativ	grün**en** Wäldern
Genitiv	grün**er** Wälder

Sympathischer, kreativer und sportlicher (Tennis, Joggen) Typ (32 / 175 cm / 75 kg) sucht verrückte, intelligente, romantische und fröhliche Traumfrau für alles, was zusammen mehr Spaß macht. Ein Bild von dir wäre toll! Texas2005@gmx.net

> **!** **Lerntipp**
>
> **Adjektive (Singular) ohne Artikel**
>
> Der letzte Buchstabe im Adjektiv ist wie der letzte Buchstabe im Artikel:
>
> das Auto → neues Auto zu verkaufen

10 Graduierende Adverbien: *ein bisschen, ziemlich, sehr, besonders*

E2

Ich müsste abnehmen. – Ich müsste **ein bisschen** abnehmen.

In der Firma haben wir viel zu tun. – In der Firma haben wir **ziemlich** viel zu tun.

In diesem Restaurant ist die Pizza gut. – In diesem Restaurant ist die Pizza **sehr** gut.

Der Film war interessant. – Der Film war **besonders** interessant.

Darf's ein bisschen mehr sein?

11 Indefinita – unbestimmte Menge (Personen und Sachen)

a) *etwas, nichts, alles* (Sachen)

Hast du **etwas** gehört? Nein, ich höre **nichts**. **Alles** in Ordnung.

b) *jemand, niemand, man* (Personen)

Kennst du **jemand(en)**, der Briefmarken sammelt? Nein, ich kenne **niemand(en)**. Man kann ja mal in der Firma fragen.

c) *alle, viele, einige, manche, wenige, andere* (Personen und Sachen)

Alle Kinder kommen mit sechs Jahren in die Schule. **Viele** Schüler sind mit 14 oder 15 schulmüde. **Manche** haben auch Probleme zu Hause. **Wenige** Schüler machen gerne Hausaufgaben. **Einige** Schüler haben Spaß am Lernen, **andere** nicht.

d) *irgend-*

irgend- + unbestimmter Artikel
Irgendein Problem gibt es immer.

irgend- + *etwas, jemand*
Irgendetwas suche ich immer! Hat **irgendjemand** meinen Schlüssel gesehen?

irgend- + Fragewort
Gibt es hier **irgendwo** ein Eiscafe? **Irgendwann** brauche ich eine Pause.

12 Präteritum der regelmäßigen und unregelmäßigen Verben

E 1

regelmäßig

ich	frag**te**	wir	frag**ten**
du	frag**test**	ihr	frag**tet**
er/es/sie	frag**te**	sie	frag**ten**

fragen – fragte – gefragt

! **Lerntipp**

Das Präteritum in der 2. Person (du/ihr) verwendet man fast nur bei Modalverben und *haben* und *sein*.

unregelmäßig

ich	ging	wir	ging**en**
du	ging**st**	ihr	ging**t**
er/es/sie	ging	sie	ging**en**

gehen – ging – gegangen

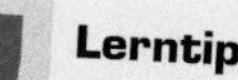

! **Lerntipp**

Die unregelmäßigen Formen müssen Sie lernen. Sie finden eine Liste auf Seite 237.

Immer mit Rhythmus lernen:

gehen – ging – gegangen

13 Übersicht: Konjunktiv II (Präsens) der Modalverben

E2

Meine Mutter meint, ich **müsste** endlich ein Kind bekommen.

Mein Chef meint, ich **könnte** schneller arbeiten.

	sollen			**müssen**		
	Präsens	Präteritum	Konjunktiv	Präsens	Präteritum	Konjunktiv
ich	soll	sollte	**sollte**	muss	musste	**müsste**
du	sollst	solltest	**solltest**	musst	musstest	**müsstest**
er/es/sie	soll	sollte	**sollte**	muss	musste	**müsste**
wir	sollen	sollten	**sollten**	müssen	mussten	**müssten**
ihr	sollt	solltet	**solltet**	müsst	musstet	**müsstet**
sie/Sie	sollen	sollten	**sollten**	müssen	mussten	**müssten**

	können			**dürfen**		
	Präsens	Präteritum	Konjunktiv	Präsens	Präteritum	Konjunktiv
ich	kann	konnte	**könnte**	darf	durfte	**dürfte**
du	kannst	konntest	**könntest**	darfst	durftest	**dürftest**
er/es/sie	kann	konnte	**könnte**	darf	durfte	**dürfte**
wir	können	konnten	**könnten**	dürfen	durften	**dürften**
ihr	könnt	konntet	**könntet**	dürft	durftet	**dürftet**
sie/Sie	können	konnten	**könnten**	dürfen	durften	**dürften**

	wollen		
	Präsens	Präteritum	Konjunktiv
ich	will	wollte	**wollte**
du	willst	wolltest	**wolltest**
er/es/sie	will	wollte	**wollte**
wir	wollen	wollten	**wollten**
ihr	wollt	wolltet	**wolltet**
sie/Sie	wollen	wollten	**wollten**

! Lerntipp

musste → müsste

aber:

sollte → sollte
wollte → wollte

14 Konjunktiv II (Präsens): *wäre, hätte, würde*

E5

Wenn jetzt Ferien **wären**, **hätte** ich viel Zeit und **würde** jeden Tag *ausschlafen*.

	sein		
	Präsens	Präteritum	Konjunktiv II
ich	bin	war	wäre
du	bist	warst	wär(e)st
er/es/sie	ist	war	wäre
wir	sind	waren	wären
ihr	seid	wart	wär(e)t
sie/Sie	sind	waren	wären

	haben			**werden**		
	Präsens	**Präteritum**	**Konjunktiv II**	**Präsens**	**Präteritum**	**Konjunktiv II**
ich	habe	hatte	hätte	werde	wurde	würde
du	hast	hattest	hättest	wirst	wurdest	würdest
er/es/sie	hat	hatte	hätte	wird	wurde	würde
wir	haben	hatten	hätten	werden	wurden	würden
ihr	habt	hattet	hättet	werdet	wurdet	würdet
sie/Sie	haben	hatten	hätten	werden	wurden	würden

Regel Den Konjunktiv II (Präsens) der meisten Verben bildet man mit *würde* + Infinitiv.

15 Konjunktiv II (Präsens) – Gebrauch

E2, E5

Den Konjunktiv II (Präsens) benutzt man in verschiedenen Funktionen:

höfliche Bitten – Könnte ich bitte einen Kaffee haben?
Ratschläge – Du solltest mal wieder zum Friseur gehen.
Wünsche und nicht reale Dinge – Wenn ich mehr Geld hätte, würde ich ein Haus kaufen.

Alphabetische Wörterliste

Die alphabetische Wörterliste enthält den Wortschatz von Einheit 1 bis Station 1 des Kurs- und Übungsbuchs. Zahlen, grammatische Begriffe sowie Namen von Personen, Städten und Ländern sind in der Liste nicht enthalten.

Wörter, die nicht zum Zertifikatswortschatz gehören, sind *kursiv* gedruckt. Sie müssen sie nicht unbedingt lernen.

Die Zahlen geben an, wo die Wörter zum ersten Mal vorkommen (z. B. 3/1.3 bedeutet Einheit 3, Block 1, Aufgabe 3 oder Ü 5/1 bedeutet Übungsteil zur Einheit 5, Übung 1).

Ein • oder ein – unter dem Wort zeigt den Wortakzent:
ạ = kurzer Vokal
a = langer Vokal

Nach den Nomen finden Sie immer den Artikel und die Pluralform:
" = Umlaut im Plural
* = es gibt dieses Wort nur im Singular
, = es gibt auch keinen Artikel
Pl. = es gibt dieses Wort nur im Plural

Abkürzungen:
Abk. = Abkürzung
etw. = etwas
jdn = jemanden
jdm = jemandem

A

***Ạbbau**, der,* * 4/2.1a
ạbbauen 4/1.2
***ạbbrechen**, brach ạb, ạbgebrochen* Stat. 1/2.3
***Ạbgas**, das, -e, meistens Pl.* Stat. 2/3.2
ạbgegriffen 3/1.2b
ạbheben, hob ạb, ạbgehoben 2/1.4a
Ạblehnung, die, -en Ü3/4a
***Ạbnahme**, die,* * Stat. 2/4.2
ạbrechnen 1/2.1a
***Ạbseits**, das,* * Stat. 1/5
***Ạbstieg**, der, -e* Stat. 1/5
abstrạkt Ü3/2b
Ạbwasch, der, * (den ... machen) 1/2.6b
ạbwaschen, wusch ạb, ạbgewaschen 3/2.1b
Ạchterbahn, die, -en Ü1/12a
AG, die, -s (*Abk.*: Ạrbeitsgemeinschaft) 5/2.2a
Agentur, die, -en 2/2.1a
ahnen 1/2.1a
Ạkte, die, -n 4/3.3a
aktuẹll 4/4.4
***Ạlbum**, das, Pl.: Ạlben* 3/5.1
ạll die Jahre 1/2.1a
alltäglich Stat. 1/3.6
Alternative, die, -n 5/1.1
ạnbauen Ü4/3a
aneinạnder vorbeireden 3/4.1b
Ạngabe, die, -n Ü4/6b
ạnhalten, hielt ạn, ạngehalten Ü1/13
ạnlegen Ü4/3c
ạnpassen 3/2.1b
***Ạnpfiff**, der, -e* Stat. 1/5
ạnrühren Stat. 1/5
***ạnschließen**, schloss ạn, ạngeschlossen* Stat. 1/1.1b
Ạnschluss, der, "-e 2/1.1
***Ạntikörper**, der,* - Ü2/14
Ạntrag, der, "-e 2/1.4a
ạnzeigen 2/1.5a
***Apparat**, der, -e: hier: am Apparat* Ü2/4a
Ạrbeitsbedingung, die, -en 4/2.1b
Ạrbeitsgemeinschaft, die, -en 5/2.4c
Ạrbeitskraft, die, "-e 4/2.1a
***Ạrbeitsmigrant/in**, der/die, -en/-nen* 4/2.1a
***Ạrbeitsmigration**, die, -en* 4/2.1a
Ạrbeitstag, der, -e Ü4/4a
Ạrbeitsunfall, der, "-e 4
***Ạrbeitsunterlage**, die, -n* 2/2.1a
argentinisch Ü2/2b
Argumẹnt, das, -e 3/1.4
ạrm, ạrmer, am ạrmsten 1/1.4a
Art, die, -en Ü3/2b
Aspẹkt, der, -e 4/4.8b
***auffressen**, fraß auf, aufgefressen* 2/2.1a
aufgeschlossen 3/4.1b
aufhängen Stat. 1/2.4
aufmachen 3/1.2b
aufmerksam 3/5.1
Aufschwung, der, * 4/2.3
aufstellen 5/2.4c
***Aufstieg**, der, -e* Stat. 1/5
Augenblick, der, -e Ü1/4
Ausdruck, der, "-e Start 2/2a
ausdrucken Ü2/4a
ausfüllen 2/1.4a
***Ausgleich**, der, -e* 2/2.1a
aushalten, hielt aus, ausgehalten 3/4.1b
ausländisch 4/2.1c
auslösen 2/4.1a
ausreichend 5/2.2b
ausrutschen 4/4.4
außerdem Stat. 1/1.1b
äußern 5/3.2
austauschen Stat. 1/2.4
auswechseln 5/2.4c
auswendig lernen 1/1.4c
auszahlen 2/1.4a
***Auszahlungsquittung**, die, -en* 2/1.4a
autonom 5/5.1
***Autostopp**, der,* * Ü1/12a

B

***Bachelorstudium**, das, ** Stat. 1/4.4
Badesee, der, -n 4/2.3
basta 3/4.3
Bau, der, * 1/3.2a
Beamte/Beamtin, der/die, -n/-nen 2/1.5a
beantragen 2/1.4a
bedeuten 1/1.1
beeinflussen 2/4.1a
befreien 1/3.1
begründen 2
Behandlung, die, -en 4/3.3a
beherrschen 2/2.1a
beibringen, brachte bei, beigebracht 5/4.2a
bereit 3/5.1
Bergarbeiter/in, der/die, -/-nen 4/1.1
***Bergarbeitersiedlung**, die, -en* 4/2.1a
Bergbau, der, * 4/2.1b
Bergmann, der, "-er 4/1.2
Bergwerk, das, -e 4/1.2
***beriechen**, beroch, berochen* 3/5.1
Berliner/in, der/die, -/-nen 1/3.1
***Berufsgenossenschaft**, die, -en* 4/3.3
***Berufskrankheit**, die, -en* 4/3.4
berufstätig 3/1.4
Berufswahl, die, * 5/2.4c
beschädigen 1/3.1
***Beschäftigte**, der/die, -n* Stat. 2/4.3
bescheiden 4/4.8a
besiegen 1/3.1
besondere 1/3.4b
bestätigen 2/4.1a
bestehend aus 3/5.1
bestimmen 4/4.3
Bestseller, der, - 1/5.1
***betreten**, betrat, betreten* Ü1/11
***Betriebsmannschaft**, die, -en* Stat. 1/5
Bevölkerung, die, -en 4/2.1a
Beweis, der, -e 2/4.1a
***Beziehungsproblem**, das, -e* 3/4.1
***Beziehungstyp**, der, -en* Stat. 1/2.3
***Portal**, das, -e* 4/3.4
***Bildergeschichte**, die, -n* Stat. 2/2.6
Bildung, die, * 4/2.3
Bio (*Kurzform f. Biologie*, die,*) 5/2.2a
biochemisch 2/4.1a
bisher 3/5.1
bisschen (ein bisschen) 2/1.3
bissfest 3/4.3
***Blatt**, das, "-er* Stat. 2/2.5a
bombardieren 4/2.3
Boot, das, -e 5/5.1
Boxen, das, * 3/1.2b
***Branche**, die, -n* Stat. 2/4.3
brechen, brach, gebrochen (den Rekord) Ü1/12a
bremsen 4/3.3a
***Brennholz**, das, "-er* 5/5.1
***Brieftaube**, die, -n* 4/1.2
***Brieftaubenzucht**, die, -en* 4/4.3
britisch Ü1/12a
Brust, die, "-e Ü1/4
Bude, die, -n 4/4.6
bügeln 1/2.1a
Buggy, der, -s 3/1.1
bummeln Stat. 1/3.6b
Bundesliga, die, *Pl.: Bundesligen* 4/2.3
Bürokauffrau, die, -en 4/3.3a
bzw. (*Abk.:* beziehungsweise) 4/3.3a

C

charmant 3/5.1
chatten Ü5/10
Chemie, die, * 5/2.2a
Chemieunterricht, der, -e Ü5/5a
***Chiffre**, die, -n* Ü3/10a
Cola, die, -s 4/4.6
contra 3/1.4

D

dafür 3/1.2b
daran Start 1/1
darauf 5/5.2a
darüber 2/2.4
darum 2
***Dasein**, das, ** 1/5.1b
Datum, das, * Ü2/2b
***Dauerfahren**, das, ** Ü1/12a
dazwischen (kommen) Ü1/6
***Debütalbum**, das, Pl.: Debütalben* 3/5.1
derselbe, dieselbe, dasselbe 1/2.1a
deswegen 2
Detail, das, -s 2/1.5a
Deutsche Demokratische Republik (DDR), die, * 1/3.1
Diät, die, -en Ü2/9
Dichter/in, der/die, -/-nen Ü1/11
Diebstahl, der, "-e 2/1.5a
***Dienstleistungsbereich**, der, -e* 4/2.3
dienstlich 4/4.4
Dienstreise, die, -n 2/2.1a
***Dienstwagen**, der, -* Ü4/8a
diktieren Stat. 1/2.2
***Diplomkauffrau/-mann**, die/der, -en/"-er* Stat. 1/4.4
Direktor/in, der/die, -en/-nen Ü4/3a
doppelt Ü3/1b
dorthin 4/3.3a
Dreck, der, * 4/4.8a
dreigliedrig 5/1.1
dual Stat. 1/4.4
Du Arme! 2/3.9a
durchfallen, fiel durch, durchgefallen 5/2.2b
durchführen Stat. 1/1
durchschnittlich 1/2.1a

E

***Eck**, das, -s* Stat. 1/5
EC-Karte, die, -n 2/1.1
Effekt, der, -e 2/4.1a
effektiv Ü3/12a
***Eheberater/in**, der/die, -/-nen* Ü3/7
ehemalig 4/2.3
einbauen Stat. 1/1.1b
einfallen, fiel ein, eingefallen (jdm etw.) 1/1.1
***einfangen**, fing ein, eingefangen* Stat. 1/5
einführen 5/2.4c
Einkaufszentrum, das, *Pl.:* Einkaufszentren 4/1.1
einparken 3/1.2b
einschlafen, schlief ein, eingeschlafen 3/4.1b
***Einspruch** (einlegen)* Ü2/3
***Eintagsfliege**, die, -n* Ü1/5
***Einzelverbindungsnachweis**, der, -e* Ü2/3
einzige 5/5.1
Elefant, der, -en Ü1/5
***Elfmeter**, der, -* Stat. 1/5
Elternversammlung, die, -en Ü4/3a
energisch 3/4.4c
Entstehung, die, -en 4/2
***Enttäuschung**, die, -en* Stat. 1/5
entweder … oder 3/4.1b
erbleichen 1/5.2
Ereignis, das, -se 1/3.3
erfahren, erfuhr, erfahren 4/1.1
ergotherapeutisch 4/4.4
Erinnerung, die, -en Start 1/1
Erklärung, die, -en Ü3/1a
erledigen Ü3/6a
Ernährung, die, * Ü4/3a
erreichbar 2/2.1a
erscheinen, erschien, erschienen 3/5.1
erst mal 3/2.1b
erwarten 3/5.1
***Erwerbstätigkeit**, die, -en* Ü3/1a
erziehen, erzog, erzogen 3/1.2b
es gut haben Ü5/6a
Ethik, die, * 5/2.2a
etwa 4/3.4
etwas Neues 1/1.4b
***Euphorie**, die, -n* Stat. 1/5
eventuell 5/1.1
***Ex**, der/die, ** Stat. 1/2.3

F

Fach, das, "-er 4/2.2a
Fachabitur, das, * 5/1.1
***Fachkraft**, die, "-e* Stat. 2/4.1b
Fachoberschule, die, -n 5/1.1
Fahrlehrer/in, der/die, -/-nen 3/1.3
Fahrstuhl, der, "-e Start 2/1
***Faktor**, der, -en* 3/4.1b
Fall (1), der, "-e 4/4.4
Fall (2), der, * Ü1/11
***Familienbericht**, der, -e* Ü3/1b
***Familienfeier**, die, -n* Stat. 2/3.3
Familienstand, der, * Ü2/2b
***Fanmeile**, die, -n* Stat. 1/5
***Feedback**, das, ** 3/4.1b
fein 4/4.8a
Fernverkehr, der, * 6/1.4
fest 3/1.2c
Feuerlöscher, der, - 4/3.2
filmen Stat. 1/5
finnisch Ü3/1b
fixieren Ü1/4
***Flagge**, die, -n* Stat. 1/5
fleißig Ü3/1b
***Flieger**, der, -* Stat. 2/5
fließen, floss, geflossen 4/2.1c
flirten 3/5.1
fluchen Stat. 2/3.1a
***Flucht ergreifen**, ergriff, ergriffen* 3/5.1
Fluss, der, "-e 4/2.1a
***Flüsterdiktat**, das, -e* Stat. 1/2.2
fönen Stat. 1/2.4
fordern Ü4/3a
***Förderturm**, der, "-e* 4/1.1
***Formel 1**, die, * (Rennsport)* 3/1.2b
***Frauchen**, das, -* Ü1/12a
***frei haben** (einen Wunsch)* 5/2.4c
***Freistoß**, der, "-e* Stat. 1/5
***Freizeitpark**, der, -s* 4/2.3
Fremde, der/die, -n Ü2/7
Fremdwort, das, "-er 4/2.1a
***fressen**, fraß, gefressen (jdm aus der Hand)* 3/5.1
***Freudenfeier**, die, -n* Stat. 1/5
Freundeskreis, der, -e 3/4.1b
Frührente, die, -n 4/2.3
Frust, der, * 4/3.3a
führen (ein Interview) Ü5/6a
führen (zu etw.) 3/4.1b
Fußballstadion, das, *Pl.:* Fußballstadien 4/2.3
***Fußballtor**, das, -e* Stat. 1/5
***Fußballweltmeisterschaft**, die, -en* 1/3.1

G

***Gang**, der, "-e* Ü2/3
***Gartenkolonie**, die, -n* 4/1.2
Gebiet, das, -e Ü3/2a
Gebrauchsanweisung, die, -en Ü2/13a
Gefahr, die, -en Ü5/12
gefühllos 3/4.1b
gefühlvoll 3/4.2
Geheimzahl, die, -en 2/1.1
***Gehstock**, der, "-e* Ü4/8b
geizen 3/5.1
Geldautomat, der, -en 2/1.1
***Gelegenheit**, die, -en* Stat. 2/4.1b
Gemeinsamkeit, die, -en 3/2.1c
geografisch 4/2.1b
Gericht, das, -e Ü2/3
Gesamtschule, die, -n 5/1.1
***Geschäftsführer/in**, der/die, -/-nen* Ü4/10b
gescheit 1/1.4a
Geschlecht, das, -er Ü3/2a
***Geschwätz**, das, ** 1/5.1b
gesetzlich 4/3.3a

gestrẹsst (sein) Ü2/5
Getreide, *das, -* 3/5.1
Gewạlt, die, -en Ü4/5b
gewẹrblich 4/3.4
Gewịcht, das, -e 3/5.1
Gewịssen, das, * 2/2.1a
gießen, gọss, gegọssen 1/2.6a
Gịft, das, -e 4/3.2
Gịps, der, -e 4/3.3a
glạtt 4/3.2
Glạtze, *die, -n* 3/5.1
gleichberechtigt 3/1.4
Gliederung, *die, -en* Stat. 1/1.2
Glühbirne, die, -n 5/2.4c
Gọld, das, * 4/2.1a
grịnsen Stat. 1/4.2
Grụndstück, das, -e Ü4/3a
Gymnasiạst/in, der/die, -en/-nen 5/1.1

H

Hạlbfinale, *das, -* Stat. 1/5
hạlbtags 3/1.4
Hạlbzeit, die, * 1/1.1
Hạndball, *der,* * *(Sport)* 5/2.2a
Hạndel, der, * 4/2.3
Hạntel, die, -n 3/1.1
Hauptschule, die, -n 5/1.1
Hauptverband, *der, "-e* 4/3.4
Hausarbeit, die, -en Ü3/1c
Hausfrau, die, -en 3/2.1b
Hausmeister/in, der/die, -/-nen 5/2.4c
Haut, die, "-e 4/4.8a
Heizung, die, -en 5/2.4c
herkommen, kam her, hergekommen 3/5.1
herụmliegen, lag herụm, herụmgelegen 5/2.4c
Hịmmelsrichtung, *die, -en* Ü3/2a
hịn oder her 3/4.3
hịnfahren, fuhr hịn, hịngefahren Start 2/3
hinterhersehen, sah hinterher, hinterher gesehen Ü1/4
hinterherlaufen, lief hinterher, hinterhergelaufen 3/2.1b
hinterherschauen 3/5.1
hinzukommen, kam hinzu, hinzugekommen 4/2.1a
historisch 1/3.4b
Hobbykicker/in, *der/die, -/-nen* Stat. 1/5
hochholen 4/4.8a
höchstens 2/1.1
Höhepunkt, der, -e 1/3.1
holen 4/1.2
Họlz, das, "-er 5/5.1
Hörspiel, *das, -e* 1/5.1
hụ̈bsch Ü10/6
humorlos 3/4.2
humorvoll 3/4.1b

I

Ich mụss mal! 2/3.1
Igel, *der, -* Ü1/5
im Grünen Ü4/3c
im Schnịtt Ü1/4
Imprẹssum, das, *Pl.:* Imprẹssen 4/3.4
Industrialisierung, die, * 4/2.1a
Industrieanlage, *die, -n* 4/2.3
Ingenieur/in, der/die, -e/-nen 3/2.1b
installieren 5/3.7a
intensiv 3/4.1b
Intercity, der, -s Ü4/2a
Intonation, *die, -en* 2/3.10
Ịnuk, *der/die, Pl.: Inuit -* 5/5.1
inzwịschen 2/2.1a
ịrgendwo 3/5.1
Ịrreale, *das,* * 5

J

Jagd, die, -en 5/5.1
Jụngs, *die, Pl.* 3/5.1

K

Kabine, *die, -n* Stat. 1/5
Kajak, *das, -s* 5/5.1
Kajakbau, *der,* * 5/5.1
Kamerad/in, der/die, -en/-nen 4/1.2
Kạmpf, der, "-e 3/4.1b
kạ̈mpfen 1/5.1
kanadisch Ü1/12a
kapieren 3/5.1
karrierebewusst Stat. 1/2.1a
kaum 2/3.7
keiner Stat. 1/5
Kẹrzenlicht, das, -er Ü3/9a
Kẹtte, die, -n 4/4.5b
Kfz-Mechaniker/in, der/die, -/-nen 4/3.3a
Kịnderarbeit, *die,* * 4/2.1a
Kiosk, der, -e 5/2.4c
klạppen 3/4.1b
klar (es ist klar) Start 2/1
klarkommen, kam klar, klargekommen (mit etw.) 5/2.4c
Klạssenarbeit, die, -en Ü5/6a
Klạssenraum, der, "-e 5/2.4c
Klạtschen, das, * 1/4.5
Kleingarten, der, "- 4/1.2
Kleinigkeit, die, -en Ü2/1
Klinik, die, -en Ü4/8a
Klischee, das, -s 3
klug, klüger, am klügsten Ü3/4b
knapp bei Kạsse *(sein)* Stat. 1/2.3
Kọchtopf, der, "-e 3/1.1
Kohle, die, -n 4/1.2
Kohlekonzern, *der, -e* 4/2.1a
Kommentar, der, -e Ü3/4b
komplẹtt 4/2.3
Kondition, *die,* * 2/3.10a
Konflịkt, der, -e 5/2.4c
Königreich, *das, -e* 5/5.1
Kontạktanzeige, *die, -n* Ü3/10a
Kọnto, das, *Pl.:* Kọnten 2/1.4a
Kọntoinhaber/in, *der/die, -/-nen* Ü2/2b

Kontonummer, die, -n 2/1.4a
Konzentration, die, * 1/2.3
***Konzern**, der, -e* 4/2.1a
***Kopfball**, der, "-e* Stat. 1/5
***Kopfnicken**, das, ** 1/4.5
***Kopiergerät**, das, -e* 5/2.4c
Korkenzieher, der, - 3/1.1
Korrektur, die, -en Ü5/7b
Kosmetik, die, *Pl.*: Kosmetika 3/1.1
Kosten, die, *Pl.* 4/3.3a
köstlich Stat. 1/1.3b
Krach, der, "-e (= Streit) 3/2.1b
Krankenwagen, der, - 2/1.1
kreativ 3/4.5
***Krebs-Mann**, der, "-er (Sternzeichen)* Ü3/10a
***Kreißsaal**, der, "-e* 2/4.2
Kreuzworträtsel, das, - Ü2/6
Krieg, der, -e 1/3.1
kriegen 4/4.6
kritisch 3/4.1b
Kugelschreiber, der, - 1/2.4
Kumpel, der, - 3/1.2b
kurios Ü1/12
kurzfristig 2/2.1a

L

lächeln 2/4.1b
Lachen, das, * 2/4.1a
***Landgut**, das, "-er* Stat. 1/3.2
Landschaft, die, -en Ü3/2b
landwirtschaftlich Stat. 1/3.2
Länge, die, -n (etw. in die Länge ziehen) 2/2.1a
lassen, ließ, gelassen (etw. lässt jdm Zeit) 1/5.1b
***Laube**, die, -n* Ü4/3a
Lebenszeit, die, * 1/1.1
***Lehre**, die, -n* Stat. 1/3.2
***Lernzeit**, die, -en* 1/1.1
Liebeslied, das, -er 3/5.2
Liebling, der, -e 1/2.1a
liefern 2/4.1a
***Liga**, die, Pl.: Ligen* 4/2.3
Lotto, das, * 5/3.6
***Loveparade**, die, ** 1/3.1
lyrisch 1/1.4

M

***Machtkampf**, der, "-e* 3/4.1b
***Machtübernahme**, die, n* 1/3.1
Make-up, das, * 4/4.8a
malochen 4/1.2
***Malocher/in**, der/die, -/-nen* 4/1.2
mangelhaft 5/2.2b
männlich Ü1/4
***Materialliste**, die, -n* Stat. 1/1.1b
Mathe (*Kurzform f. Mathematik*, die, *) 5/2.2a
meist 5/5.2a
Menge, die, -n 4/3.3a
menschlich 2/4.1a
***Mentor/in**, der/die, -en/-nen* Stat. 2/5
Menü, das, -s Ü3/6a
***Messegelände**, das, -* Stat. 2/1.3
Metall, das, -e 4/1.2
Migration, die, -en 4/2.1a
Mineralien, die, *Pl.* 4/1.2
***Mini-Album**, das, Pl.: Mini-Alben* 3/5.1
mitarbeiten 5/2.4c
miteinander 3/4.1b
Mitschüler/in, der/die, -/-nen Ü5/7b
***mitsingen**, sang mit, mitgesungen* Stat. 1/5
mitten 1/3.1
mittendrin Stat. 1/5
Möbeltischler/in, der/die, -/-nen Ü5/2b
Moderator/in, der/die, -en/-nen 3/1.3
***Mountainbike**, das, -s* Stat. 1/2.3
Müll, der, * 3/2.1b
***Musterbrief**, der, -e* Ü2/4a
***Mut**, der, ** Stat. 1/5

N

na klar 2/1.1
Na und! 7/1.3b
nacheinander Stat. 1/2.3
nacherzählen Start
***Nachfrage**, die, -n* Stat. 2/4.2
Nachkriegszeit, die, * 4/2.3
nachsehen, sah nach, nachgesehen 2/1.1
***Nachtmusik**, die, ** Ü5/3
nah, näher, am nächsten 4/4
***Nahe**, das, ** 1/1.4a
nähen Stat. 2/3.4
naiv 3/4.4c
***Narr(e)**, der, -n (= der Dumme)* 1/1.4a
nass Ü6/13
Nationalität, die, -en Ü2/2b
***Nationalsozialist/in**, der/die, -en/-nen* 1/3.1
***Naturwissenschaft**, die, -en* Stat. 1/4.4
***Nebensache**, die, -n* Stat. 1/5
Nerven, die, *Pl.* Ü2/5
nervig 2/1.3
***Neue**, der/die, -n* Stat. 1/2.2
***Neurologe/Neurologin**, der/die, -n/-nen* 3/1.3
nichts zu danken Ü2/4a
Nix da! Stat. 1/2.3
Note, die, -n 4/2.2b
Notruf, der, -e Ü1/12a

O

Objekt, das, -e Ü3/2b
Obststand, der, "-e 2/1.5a
offiziell 2/2.1a
Optiker/in, der/die, -/-nen Ü5/2b
optimal 4/3.3a
Ordnung, die, -en, *hier:* in Ordnung sein 2/2.1a
***Ordnungsdienst**, der, -e* 5/2.4c
***Organismus**, der, Pl.: Organismen* 2/4.1a
Orientierungssinn, der, -e Ü3/2a

P

***Pädagoge/Pädagogin**, der/ die, -n/-nen* Stat. 1/3.2
Pappe, die, -n 5/1.1
***Parkanlage**, die, -n* Ü4/9
Parklücke, die, -n 3/1.2b
Partnerschaft, die, -en 2/2.1a
***Partylaune**, die, ** Stat. 1/5
peinlich 3/2.1b
Personalausweis, der, -e 2/1.4a
***Perspektive**, die, -n* Start 2/2c
Physik, die, * 5/2.2a
***Physiotherapeut/in**, der/ die, -en/-nen* Ü3/5a
Pilot/in, der/die, -en/-nen Ü5/14
pinkfarben Stat. 1/3.5
***Plattenfirma**, die, Pl.: Plattenfirmen* 3/5.1
Po, der, -s Ü1/4
***Polizeibericht**, der, -e* Ü1/13
Polizist/in, der/die, -en/-nen Ü1/12a
***Pop-Band**, die, -s* 3/5.1
***Pott**, der, ** 4/1.2
***Pressemeldung**, die, -en* 4/3.4
preußisch 1/3.1
Prinzip, das, -ien (im Prinzip) 4/4.4
Privatleben, das, * 2/2.1a
Protokoll, das, -e 2/1.5a
***Prototyp**, der, -en* Stat. 1/1.1b
***Psyche**, die, -n* 2/4.1a
***Psychologie**, die, -n* 3/4.1b
***Pulsschlag**, der, "-e* 4/4.8a
***Punktspiel**, das, -e* Stat. 1/5
Putzeimer, der, - 3/1.1
Putzfrau, die, -en 5/4.1

Q

quadratisch Ü1/11
Quatsch, der, * 3/4.4a
Quittung, die, -en 2/1.6a

R

***Radiosendung**, die, -en* 2/2.3b
Rasen, der, - Ü4/5a
Rat, der, * (1) *(einen Rat geben)* 2/3.4
Ratschlag, der, "-e 2/3
räumen (Schnee räumen) 5/2.4c
real ≠ irreal 5/3.4
Realität, die, -en 5/3.1
Realschule, die, -n 5/1.1
***rechnen** (mit etw.)* Stat. 2/4.1b
Recht haben 3/1.3b
Redensart, die, -en 3/1.2b
reduzieren Ü1/7c
Regel (in der Regel) 5/1.1
Regierung, die, -en 1/3.1
***Regionalschule**, die, -n* 5/1.1
registrieren 4/3.4
regnerisch Ü6/13
reich 1/1.4b
Reiche, der/die, -n 1/1.4a
reichen Ü2/3
***Reiz**, der, -e* 3/5.1
Reklamation, die, -en 3/5.1
Rekord, der, -e Ü1/12a
Religion, die, -en, *hier:* Schulfach 5/2.2a
***Rennpferd**, das, -e* 4/1.2
***Reporter/in**, der/die, -/-nen* Ü6/2
***Rettungshubschrauber**, der, -* Ü4/8a
Revier, das, * 4/1.2
Rhythmus, der, *Pl.*: Rhythmen 1/4.3
riechen, roch, gerochen 3/5.1
riesig Stat. 2/5
Risiko, das, *Pl.*: Risiken 4/3.4
riskieren 4/3.4
rollen Stat. 1/5
Routine, die, -n 3/4.1b
***Rückfrage**, die, -n* Stat. 2/1.5
rückläufig 4/3.4
Ruhrgebiet, das, * 4/1
***Ruhrpott**, der, ** Ü4/5c
rund um 5/4.2
runterbringen, brachte runter, runtergebracht 3/2.1b

S

***Salsakurs**, der, -e* 3/3.1
sauber 3/3.3
sauber halten, hielt sauber, sauber gehalten 5/2.4c
***Schalke** (Fußballverein)* 4/2.1a
Scheidung, die, -en 3/4.1b
scheinen, schien, geschienen Ü6/14
Scheitern, das, * 3/4.1b
***Scherengeklapper**, das, ** 1/5.1b
***schießen**, schoss, geschossen* Stat. 1/5
Schild, das, -er 4/3.2
schimpfen Ü8/4
Schlaf, der, * Ü1/5
Schlafanzug, der, "-e Ü1/12a
schlagfertig 5/5.2a
***Schlosser/in**, der/die, -/-nen* 5/2.4c
Schlüssel, der, - 2/1.1
Schmatz! 5/5.3
schmelzen, schmolz, geschmolzen 1/1.4b
Schminke, die, * 4/4.8a
schmücken Ü5/12
schmutzig 4/2.1a
***Schneider/in**, der/die, -/-nen* Ü3/5a
Schönheit, die, -en 4/4.8a
Schrebergarten, der, "- 4/1.2
schüchtern 3/4.4c
***Schulbeginn**, der, ** 5/2.2b
***Schuld haben** (an etw.)* Stat. 1/5
***Schuldirektor/in**, der/die, -en/-nen* Ü4/3a
schulmüde 5/2.4c
***Schulsozialarbeiter/in**, der/die, -/-nen* 5/2.4c
Schulsystem, das, -e 5/1.1
Schulter, die, -n Start 2/1
Schultüte, die, -n 5/1.1

Schulwechsel, der, - 5/1.1
Schulzahnarzt/ärztin, der/die, "-e/-nen 5/4.2a
***Schuss**, der, "-e* Stat. 1/5
Schwangerschaft, die, -en Ü1/5
schwedisch Ü3/1b
schweigen, schwieg, geschwiegen 3/5.1
***Schwerarbeiter/in**, der/die, -/-nen* 4/1.2
Schwierigkeit, die, -en 3/2.1b
***Seifenschaum**, der, ** 1/5.1b
seitdem Stat. 1/5
sicherlich 3/2.1b
Sicht, die, * 4/3.3b
Siedlung, die, -en 4/2.1a
sinnlos 3/4.1b
sitzen bleiben, blieb sitzen, sitzen geblieben 5/2.2b
Sitzung, die, -en 2/2.1a
***Slogan**, der, -s* 1/5.1d
so mancher 3/4.1b
***Sommermärchen**, das, -* Stat. 1/5
sondern 2/2.1a
Sozialarbeiter/in, der/die, -/-nen 5/2.4a
***Sozialgesetzgebung**, die, -en* 4/2.1a
Sozialversicherung, die, -en 4/2.1a
spanisch 3/1.2b
spannend 2/3.9a
spätestens Stat. 1/3.6b
sperren 2/1.1
***Spezialklinik**, die, -en* 4/3.3a
spinnen, spann, gesponnen 3/4.4a
Sportart, die, -en Ü4/5c
***Sportfanatiker/in**, der/die, -/-nen* Ü3/10a
Sportwagen, der, - 3/1.1
Sprichwort, das, "-er 2/4.1b
Spruch, der, "-e 5/5.2a
***Spülmaschine**, die, -n* Stat. 1/2.3
Staat, der, -en 1/3.1
***Stadtteilschule**, die, -n* 5/1.1
Stadttor, das, -e 1/3.1
Stahl, der, * 4/1.1
***Stahlproduktion**, die, -en* 4/2.1a
Stahlwerk, das, -e 4/1.1
Stammkneipe, die, -n 4/2.1a
staubsaugen 3/3.3
staunen Stat. 2/5
stehlen, stahl, gestohlen 1/5.1
steigen, stieg, gestiegen 4/2.3
steil 4/3.3a
***Stereotyp**, der, -en* 3/1.2c
***Stimmung**, die, -en* Stat. 1/5
***Stolpergefahr**, die, -en* 4/3.2
stolpern 4/3.3a
Strafe, die, -n Ü1/13
Strafzettel, der, - 2/1.1
stranden 6/1.6a
streiten, stritt, gestritten 3/2.1b
***Streitschlichter/in**, der/die, -/-nen* 5/2.4c
stressen 2/1.3
***Stressfaktor**, der, -en* 2/2.1
Strom, der, * 4/3.2
***Stromleitung**, die, -en* Stat. 1/1.1b
Studie, die, -n 2/4.1a
Studienplatz, der, "-e 5/1.1
Stundenplan, der, "-e 5/2.2a
***Stürmer/in**, der/die, -/-nen* Stat. 1/5
subtil 3/5.1
***Summe**, die, -n* Ü2/3
Süße 3/5.1
sympathisch 3/4.1b

T

***Talkrunde**, die, -n* 3/1.3
***Taubenzüchter/in**, der/die, -/-nen* 4/1.1
***Technik**, die, -en* Stat. 1/4.4
***Techno**, der, ** 1/3.1
***Teekanne**, die, -n* Stat. 1/1.3a
teilen 1/3.1
Teilnehmer/in, der/die, -/-nen 3/1.3
Teilung, die, -en 1/3.2a
***Telefongesellschaft**, die, -en* Ü2/3
***Texter/in**, der/die, -/-nen* 2/2.1a
***Theaterfestspiele**, die, Pl.* Ü4/2a
tief 4/4.4
todmüde Stat. 1/3.4
tolerant Stat. 1/2.1a
***Tor**, das, -e (Fußball)* Stat. 1/5
***Traumberuf**, der, -e* Ü5/6a
träumen Ü1/9b
***Traumfabrik**, die, -en* 4/2.3
***Trauschein**, der, -e* 3/2.1b
treiben, trieb, getrieben (Sport) 2/2.3c
treu 4/2.1a
Tüte, die, -n 5/1.1

U

u. a. (= unter anderem) 4/2.1a
überall 2/2.1a
Überfall, der, "-e 1/3.1
überglücklich Stat. 2/5
überhaupt (nicht) Ü3/9a
überlegen Start 2/1
übernehmen, übernahm, übernommen 4/3.3a
überprüfen Ü4/10c
überreden 3/2.1b
Überschrift, die, -en Ü1/12a
***Überschwemmung**, die, -en* Stat. 2/2.5a
Überstunde, die, -n 2/2.1a
überwachen 5/2.4c
umschreiben, schrieb um, umgeschrieben Ü5/7c
Umweg, der, -e Start 2/1
unbezahlt 2/2.1a
Und nun? Stat. 1/3.4
***Unfallhäufigkeit**, die, -en* 4/3.4
ungefähr 2/1.4a
ungenügend 5/2.2b
***UN-Klimareport**, der, -e* 6/2
unnütz 1/5.1c
unter Tage arbeiten 4/1.2
unternehmen, unternahm, unternommen Ü3/9a

V

Veränderung, die, -en 1/5.2
verbauen 4/4.8a
verbrauchen 1/5.1c
Verbraucher/in, der/die, -/-nen Ü2/3
Verbraucherzentrale, *die, -n* Ü2/3
Verdammt noch mal! Stat. 1/4.1b
vereinbaren Ü3/8
verfilmen 1/5.1
vergehen, verging, vergangen 1/1.2a
vergesslich Start 2/1
Verhalten, das, * Ü4/10b
verlängern 2/4.1b
verlegen Stat. 1/1.1b
Verletzte, der/die, -n Ü4/6b
Verletzung, die, -en Ü4/6b
vermissen 3/2.1b
vermuten 2/4.1a
verschieben, verschob, verschoben 2/2.1a
verschießen, *verschoss, verschossen* Stat. 1/5
verschlafen, verschlief, verschlafen 2/2.2
Versicherte, der/die, -n 4/3.4
Versicherung, die, -en 4
Versicherungsagent/in, *der/die, -en/-nen* Ü2/5
verständnisvoll 2/2.1a
verstärken 2/3.9
verstauben 4/4.8a
verstoßen, verstieß, verstoßen 7/4.3a
versuchen 3/2.1b
vertreten, vertrat, vertreten Ü10/2
Verwaltung, die, -en Ü10/4b
völlig 2/2.1a
vollständig Stat. 1/2.3
vor allem 4/2.3
vorkommen, kam vor, vorgekommen 3/1.3b
vorlassen, ließ vor, vorgelassen 2/1.1
vorrechnen 1/5.1c
vorspielen 2/1.5b
Vorstellung, die, -en 3/1.2c
vortragen, *trug vor, vorgetragen* Stat. 2/2.3b
Vorurteil, das, -e 3/1.2c
vorwurfsvoll 8/1.3

W

Wahlfach, *das, "-er* 5/2.2a
Wahnsinn, *der, ** Stat. 1/3.6
wahnsinnig (jdn ... machen) 2/1.3
während 1
Wahrzeichen, *das, -* 1/3.1
Wandel, der, - 4/2
Wanderung, die, -en 3/3.1
Warnhinweis, *der, -e* 4/3.2
Wartezeit, die, -en 1/1.1
Wäsche, die, * 3/3.3
waschen, wusch, gewaschen 1/2.1a
Wasserleitung, *die, -en* Stat. 1/1.1b
Wechsel, der, - 5/1.1
wecken Ü1/12a
wegbringen, brachte weg, weggebracht 3/3.3
wegen 3/2.1b
wegrutschen 4/3.3a
weiblich 3/1.1
weitermachen Ü1/12a
Weizen, *der, -* 3/5.1
Weltmeistertitel, *der, -* Stat. 1/5
Weltrekord, *der, -e* Ü1/12a
Weltstadt, *die, "-e* 4/4.8a
wenden (sich an jdn) Ü2/3
weniger ist oft mehr 3/5.1
Werbeagentur, *die, -en* 2/2.1a
Werbeaktion, *die, -en* Stat. 1/1.1b
Werkunterricht, *der, ** 5/5.1
Werkzeugkasten, der, "- 3/1.1
widersprechen, widersprach, widersprochen 3
Widerspruch, der, "-e Ü3/4
Wiederaufbau, *der, ** Ü1/11
wiedervereinigen 1/3.1
wiegen, *wog, gewogen* Stat. 2/3.2
willkommen Stat. 2/5
Windkraftanlage, *die, -n* Stat. 2/4.2
Winterschlaf, *der, ** Ü1/5
Wirbelsäule, die, -n 4/3.3a
wirken 2/4.1b
wirtschaftlich 4/2.3
Wirtschaftskrise, *die, -n* 4/2.3
Wissenschaftler/in, der/die, -/-nen 1/2.1a
wissenschaftlich 2/4.1a
Witz, der, -e 1/2.3
wochenlang 4/3.3a
wundern (sich) 1/2.1b
wunderschön Stat. 1/2.2
Wunschzeit, *die, -en* 1/2.5
Wurm, *der, "-er* Stat. 2/2.6

Z

Zahnbürste, *die, -n* Stat. 1/1.3a
zappen 3/1.2b
Zärtlichsein, *das, ** 1/2.3
zaubern 5/3.6
Zeche, die, -n 4/1.2
Zeh, der, -en Ü1/7b
Zeitdruck, der, * 1/1.1
Zeitgefühl, *das, ** 1/1
Zeitgeschichte, *die, ** 1/3
zeitlos 1/1.1
Zeitmangel, der, * 3/4.1b
Zeitplan, der, "-e 1/1.1
Zeitsparer/in, *der/die, -/-nen* 1/5.1d
zerbrechen, zerbrach, zerbrochen 3/4.1b
zerstören Ü1/11
Zeugnis, das, -se 5/2.2b
Zoo, der, -s Ü1/7b
Zugbegleiter/in, der/die, -/-nen 2/1.6a
zuhören 3/1.2b
Zuhörer/in, *der/die, -/-nen* Stat. 1/1.2
zurückkommen, kam zurück, zurückgekommen 2/2.1a

zurückziehen, zog zurück, zurückgezogen Ü1/11
zusammenarbeiten Ü5/7b
zusammenbleiben, blieb zusammen, zusammengeblieben 3/2.1b
Zusammenfassung, die, -en 4/2.4
zusammenlegen 5/1.1
Zusammensein, das, * Ü3/10a
zusammenzählen Stat. 1/2.3
zusammenzucken Start 2/1
Zuschauer/in, *der/die, -/-nen* Stat. 1/2.1a
zuschicken 2/1.4a
zustimmen (jdm) 3
Zustimmung, die, -en Ü3/4
zwar Ü3/1c
Zweite Weltkrieg, der, * 1/3.1
zweiwöchig 5/2.2a

Liste der unregelmäßigen Verben

Die Liste enthält alle unregelmäßigen Verben von **studio d A1**, **studio d A2** und **studio d B1**.
Die meisten trennbaren Verben finden Sie unter der Grundform.
Beispiele: mitbringen → bringen; abfahren → fahren

Infinitiv	Präsens	Präteritum	Perfekt
abreißen	er reißt ab	riss ab	hat abgerissen
anbraten	sie brät an	briet an	hat angebraten
anfangen	er fängt an	fing an	hat angefangen
beschließen	sie beschließt	beschloss	hat beschlossen
besprechen	er bespricht	besprach	hat besprochen
bestehen	sie besteht	bestand	hat bestanden
betragen	er beträgt	betrug	hat betragen
backen	sie bäckt	backte/buk	hat gebacken
beginnen	er beginnt	begann	hat begonnen
bekommen	sie bekommt	bekam	hat bekommen
benennen	er benennt	benannte	hat benannt
beraten	sie berät	beriet	hat beraten
beschreiben	er beschreibt	beschrieb	hat beschrieben
bewerben (sich)	sie bewirbt sich	bewarb sich	hat sich beworben
bieten	er bietet	bot	hat geboten
bitten	sie bittet	bat	hat gebeten
bleiben	er bleibt	blieb	ist geblieben
brechen	sie bricht	brach	hat gebrochen
brennen	es brennt	brannte	hat gebrannt
bringen	er bringt	brachte	hat gebracht
denken	sie denkt	dachte	hat gedacht
dürfen	er darf	durfte	hat gedurft
einladen	sie lädt ein	lud ein	hat eingeladen
empfinden	er empfindet	empfand	hat empfunden
entscheiden	sie entscheidet	entschied	hat entschieden
entschließen (sich)	er entschließt sich	entschloss sich	hat sich entschlossen
entstehen	es entsteht	entstand	ist entstanden
erkennen	er erkennt	erkannte	hat erkannt
erscheinen	sie erscheint	erschien	ist erschienen
erziehen	er erzieht	erzog	hat erzogen
essen	sie isst	aß	hat gegessen
fahren	er fährt	fuhr	ist gefahren
fallen	sie fällt	fiel	ist gefallen
fernsehen	er sieht fern	sah fern	hat ferngesehen
finden	sie findet	fand	hat gefunden
fliegen	er fliegt	flog	ist geflogen
fließen	es fließt	floss	ist geflossen
geben	sie gibt	gab	hat gegeben
gefallen	es gefällt	gefiel	hat gefallen
gehen	er geht	ging	ist gegangen
genießen	sie genießt	genoss	hat genossen
gewinnen	er gewinnt	gewann	hat gewonnen
gießen	sie gießt	goss	hat gegossen

halten	er hält	hielt	hat gehalten
hängen	es hängt	hing	hat gehangen
heben	sie hebt	hob	hat gehoben
heißen	er heißt	hieß	hat geheißen
helfen	sie hilft	half	hat geholfen
kennen	er kennt	kannte	hat gekannt
klingen	es klingt	klang	hat geklungen
kommen	sie kommt	kam	ist gekommen
können	er kann	konnte	hat gekonnt
lassen	sie lässt	ließ	hat gelassen
laufen	er läuft	lief	ist gelaufen
leiden	sie leidet	litt	hat gelitten
leidtun	es tut ihr leid	es tat ihr leid	hat ihr leidgetan
lesen	er liest	las	hat gelesen
liegen	sie liegt	lag	hat gelegen
losrennen	er rennt los	rannte los	ist losgerannt
lügen	sie lügt	log	hat gelogen
mögen	er mag	mochte	hat gemocht
müssen	sie muss	musste	hat gemusst
nehmen	er nimmt	nahm	hat genommen
nennen	sie nennt	nannte	hat genannt
pfeifen	er pfeift	pfiff	hat gepfiffen
raten	sie rät	riet	hat geraten
reiten	er reitet	ritt	ist geritten
riechen	sie riecht	roch	hat gerochen
rufen	er ruft	rief	hat gerufen
schlafen	sie schläft	schlief	hat geschlafen
schließen	er schließt	schloss	hat geschlossen
scheinen	sie scheint	schien	hat geschienen
schieben	er schiebt	schob	hat geschoben
schießen	sie schießt	schoss	hat geschossen
schmelzen	es schmilzt	schmolz	ist geschmolzen
schneiden	er schneidet	schnitt	hat geschnitten
schreiben	sie schreibt	schrieb	hat geschrieben
schreien	er schreit	schrie	hat geschrien
schweigen	sie schweigt	schwieg	hat geschwiegen
schwimmen	er schwimmt	schwamm	ist geschwommen
sehen	sie sieht	sah	hat gesehen
sein	er ist	war	ist gewesen
singen	sie singt	sang	hat gesungen
sinken	es sinkt	sank	ist gesunken
sitzen	er sitzt	saß	hat gesessen
spinnen	sie spinnt	spann	hat gesponnen
sprechen	er spricht	sprach	hat gesprochen
springen	sie springt	sprang	ist gesprungen
stehen	er steht	stand	hat gestanden
stehlen	sie stiehlt	stahl	hat gestohlen
steigen	er steigt	stieg	ist gestiegen
sterben	sie stirbt	starb	ist gestorben
streichen	er streicht	strich	hat gestrichen
streiten	sie streitet	stritt	hat gestritten
tragen	er trägt	trug	hat getragen

treffen	sie trifft	traf	hat getroffen
treiben	er treibt	trieb	hat getrieben
trinken	sie trinkt	trank	hat getrunken
tun	er tut	tat	hat getan
übertreiben	sie übertreibt	übertrieb	hat übertrieben
unterbrechen	er unterbricht	unterbrach	hat unterbrochen
unterhalten	sie unterhält	unterhielt	hat unterhalten
unterstreichen	er unterstreicht	unterstrich	hat unterstrichen
verbinden	sie verbindet	verband	hat verbunden
verbringen	er verbringt	verbrachte	hat verbracht
vergehen	sie vergeht	verging	ist vergangen
vergessen	er vergisst	vergaß	hat vergessen
vergleichen	sie vergleicht	verglich	hat verglichen
verhalten (sich)	er verhält sich	verhielt sich	hat sich verhalten
verlassen	sie verlässt	verließ	hat verlassen
verlieren	er verliert	verlor	hat verloren
verschieben	sie verschiebt	verschob	hat verschoben
verschlafen	er verschläft	verschlief	hat verschlafen
versprechen	sie verspricht	versprach	hat versprochen
verstehen	er versteht	verstand	hat verstanden
vertreiben	sie vertreibt	vertrieb	hat vertrieben
vorschlagen	er schlägt vor	schlug vor	hat vorgeschlagen
wachsen	sie wächst	wuchs	ist gewachsen
waschen	er wäscht	wusch	hat gewaschen
wehtun	es tut weh	tat weh	hat wehgetan
werden	er wird	wurde	ist geworden
werfen	sie wirft	warf	hat geworfen
widersprechen	er widerspricht	widersprach	hat widersprochen
wiegen	sie wiegt	wog	hat gewogen
winken	er winkt	winkte	hat gewunken/gewinkt
wissen	sie weiß	wusste	hat gewusst
zerbrechen	er zerbricht	zerbrach	hat zerbrochen
ziehen	sie zieht	zog	hat gezogen

Liste der Verben mit Präpositionen

Die Liste enthält alle Verben mit festen Präpositionen von **studio d A1**, **studio d A2** und **studio d B1**.

Akkusativ

achten	auf	Bitte achten Sie auf den Verkehr.
anmelden (sich)	für	Du musst dich morgen für den Kurs anmelden.
antworten	auf	Bitte antworten Sie auf meine Frage.
ärgern (sich)	über	Manchmal ärgere ich mich über dich.
aufpassen	auf	Lars muss auf seinen kleinen Bruder aufpassen.
bewerben (sich)	um	Frau Kalbach bewirbt sich um die Stelle.
bitten	um	Sophie bittet ihre Freundin um einen Tipp.
denken	an	Ich habe den ganzen Tag an dich gedacht.
diskutieren	über	Sie diskutieren immer über das gleiche Problem.
entschuldigen (sich)	für	Pedro entschuldigt sich für seinen Fehler.
erinnern (sich)	an	Ich kann mich nicht an den Film erinnern.
freuen (sich)	über	Franziska freut sich über ihren Erfolg.
freuen (sich)	auf	Die Kinder freuen sich auf Weihnachten.
gewöhnen (sich)	an	Ich habe mich an das deutsche Essen gewöhnt.
informieren (sich)	über	Ich möchte mich über den Kurs informieren.
investieren	in	Die EU investiert viel Geld in die Landwirtschaft.
interessieren (sich)	für	Er interessiert sich für Architektur.
kämpfen	gegen	Momo kämpft gegen die „grauen Herren".
konzentrieren (sich)	auf	Die Medien konzentrieren sich auf den Autoverkehr.
kümmern (sich)	um	Wir kümmern uns um Ihre Probleme.
nachdenken	über	Ich denke über den Deutschkurs nach.
reagieren	auf	Wir müssen schnell auf seine Frage reagieren.
schämen (sich)	für	Die Mutter schämt sich für ihr Kind.
sprechen	über	Katrin und Jan sprechen über ihre Zukunft.
streiten	über	Wir streiten oft über Kleinigkeiten.
trauern	um	Peter trauert um seinen Vater.
verlieben (sich)	in	Nadine hat sich in einen großen Mann verliebt.
verstoßen	gegen	Man sollte nicht gegen diese Regel verstoßen.
vorbereiten (sich)	auf	Wir müssen uns auf den Test vorbereiten.
warten	auf	Fabian wartet auf seinen Vater.
wenden (sich)	an	Bei Problemen wenden Sie sich an die Verbraucherzentrale.
zuständig sein	für	Der Europäische Gerichtshof ist für das europäische Rechtssystem zuständig.

Dativ

auskommen	mit	Oma kommt gut mit Frau Kalbach aus.
auslassen	an	Die Kunden lassen ihre schlechte Laune an mir aus.
beitragen	zu	Internationale Lebensmitteltransporte tragen zum Klimawandel bei.
beschäftigen (sich)	mit	Wir beschäftigen uns heute mit dem Thema „Medien".
besprechen	mit	Georg bespricht das Problem mit seiner Frau.

bestehen	aus	Der Test besteht aus zwei einfachen Aufgaben.
ekeln (sich)	vor	Manche Menschen ekeln sich vor einer Spinne.
fragen	nach	Der Tourist fragt nach dem Weg.
führen	mit	Wir haben ein Interview mit einem Lehrer geführt.
führen	zu	Routine kann zum Scheitern einer Beziehung führen.
gehören	zu	Das Saarland gehört zur Euregio SaarLorLux.
gratulieren	zu	Wir gratulieren dir zu deinem neuen Job!
klarkommen	mit	Ich komme mit dieser Übung nicht klar.
leiden	unter	Unter dem hohen Energieverbrauch leidet auch die Umwelt.
mischen	mit	Man mischt Mehl und Backpulver mit Eiern und Zucker.
passen	zu	Die grüne Hose passt nicht zum rosa Hemd.
schützen	vor	Die Jacke schützt vor dem Regen.
träumen	von	Ich träume von einer Weltreise.
treffen (sich)	mit	Heute treffen wir uns mit guten Freunden.
trennen (sich)	von	Peter hat sich von seinem Freund getrennt.
verabreden (sich)	mit	Wann verabreden wir uns endlich mit deinem Freund?
verbinden	mit	Können Sie mich bitte mit dem Sekretariat verbinden?
verloben (sich)	mit	Heute hat sich Jens mit seiner Freundin verlobt.
verstehen (sich)	mit	Verstehst du dich gut mit deinen Kollegen?
warnen	vor	Der deutsche Wetterdienst warnt vor einem Sturm.
zerbrechen	an	Manche Beziehungen zerbrechen an der Routine.
zusammenarbeiten	mit	Die Eltern sollten mit den Lehrern zusammenarbeiten.

Hörtexte

Hier finden Sie alle Hörtexte, die nicht oder nicht komplett in den Einheiten und Übungen abgedruckt sind.

1 Zeitpunkte

1 2

a)

1. + Wann vergeht Zeit langsam, wann vergeht sie schnell?
   – Zeit vergeht für mich langsam, wenn ich nichts zu tun habe. Wenn ich auf irgendwas warten muss, zum Beispiel in der Arztpraxis oder an der Bushaltestelle oder so. Zeit vergeht für mich schnell, wenn ich im Stress bin, zum Beispiel auf der Arbeit. Oder auch, wenn ich mit netten Menschen zusammen bin.
2. + Wann vergeht Zeit langsam, wann vergeht sie schnell?
   – Zeit vergeht schnell für mich, wenn ich mit Leib und Seele bei der Sache bin und Dinge gerne tue, zum Beispiel, wenn ich mich mit meiner Freundin unterhalte oder wenn ich tanzen gehe oder bowlen gehe. Sie vergeht für mich langsam, wenn ich Dinge tun muss, die ich nicht tun möchte, zum Beispiel Hausarbeit oder einen langweiligen Vortrag anhören muss.

3 4

a)

Interview 1

+ Herr Weimann, können Sie sich daran erinnern, was Sie gemacht haben, als 1989, im November, die Mauer geöffnet wurde?
– Ja, das kann ich. Es war ein besonderer Tag, ich war nämlich in Israel und hörte die Nachricht im Radio und bin an diesem Tag nach Tel Aviv gefahren und badete im Mittelmeer. Und gleichzeitig dachte ich an Deutschland und wie komisch es ist, an diesem historischen Tag in Israel zu sein und nicht in Deutschland.

Interview 2

Ja, den 9.11. 1989, den werde ich ganz bestimmt nicht vergessen. Ich weiß noch genau, dass es ein Donnerstagabend war, denn wir waren auf der Demo. Also, die berühmten „Montagsdemonstrationen" waren in Jena am Donnerstagabend, und wir sind gemeinsam mit Freunden auf der Demonstration gewesen, mit Kerzen durch die Stadt gezogen. Es war ein ziemlich kalter Abend und als wir nach Hause kamen, wollten wir uns erst mal ein bisschen aufwärmen, haben den Fernseher angemacht, um Nachrichten zu sehen. Aber es kamen keine, es kam nur eine kurze Mitteilung, und es war die Rede von Reisefreiheit und offenen Grenzen, und wir haben uns angeschaut und haben gedacht: „Was war das jetzt? Das kann doch alles nicht wahr sein!" Und dann haben wir natürlich versucht, alle möglichen Programme, die wir empfangen konnten, anzuschalten, Nachrichtensendungen zu finden. Und dann haben wir eben diese Nachricht gesehen, die um die Welt gegangen ist: Günter Schabowski sitzt da und zieht sein Zettelchen aus der Tasche und liest vor, dass ab 24 Uhr die Grenzen offen sind und Reisefreiheit für alle ist. Und wir waren natürlich total überrascht und total glücklich und haben noch die ganze Nacht vor dem Fernseher gesessen und auch die Sendungen gesehen, die von den Grenzübergängen kamen, von den Kontrollen, Interviews mit Leuten, die zum ersten Mal über die Grenze gegangen sind – und das war einfach eine tolle Nacht!

Interview 3

+ Frau Finster, was haben Sie gerade gemacht, als Sie 1989, im November, von der Öffnung der Mauer hörten?
– Ich bin kerzengerade aus meinem Bett aufgestanden und habe leider es nicht direkt mitgekriegt, weil ich ausgerechnet zu dieser Zeit in Spanien weilte, obwohl ich selbst in Berlin lebe. Wir sind dann daraufhin sofort zu jedem Zeitungskiosk gerannt und in jede Bar, in der es einen Fernseher gab, und haben fassungslos die Nachrichten verfolgt, weil damit hätten wir nie gerechnet.

4 3

gehen – ging – gegangen
sehen – sah – gesehen
trinken – trank – getrunken
essen – aß – gegessen
helfen – half – geholfen
bringen – brachte – gebracht
denken – dachte – gedacht
schreiben – schrieb – geschrieben
fahren – fuhr – gefahren
wissen – wusste – gewusst

5 1

b)

Teil 1

Erzähler: Da war zum Beispiel Herr Fusi, der Friseur. Eines Tages stand er vor seinem Laden und wartete auf Kundschaft. Er sah zu, wie der Regen auf die Straße platschte, es war ein grauer Tag, und auch in Herrn Fusis Seele war trübes Wetter.

Herr Fusi: Mein Leben geht so dahin mit Scherengeklapper und Geschwätz und Seifenschaum. Was hab' ich eigentlich von meinem Dasein? Ja, wenn ich das richtige Leben führen könnte, dann wär' ich ein ganz anderer Mensch! Aber für so etwas lässt mir meine Arbeit keine Zeit.

Erzähler: In diesem Augenblick fuhr ein feines, aschengraues Auto vor und hielt genau vor Herrn Fusis Friseurgeschäft. Ein grauer Herr stieg aus und betrat den Laden. Er hängte seinen runden steifen Hut an den Kleiderhaken, setzte sich auf den Rasierstuhl, nahm sein Notizbüchlein aus seiner bleigrauen Aktentasche und begann darin zu blättern, während er an seiner kleinen grauen Zigarre paffte. Herr Fusi schloss die Ladentür, denn es war ihm, als würde es plötzlich ungewöhnlich kalt im Raum.

Herr Fusi: Womit kann ich dienen, der Herr, rasieren oder Haare schneiden?
Grauer Herr: Keines von beidem. Ich komme von der Zeit-Sparkasse. Ich bin Agent Nr. XYQ/384. Wir wissen, dass Sie ein Sparkonto bei uns eröffnen wollen.
Herr Fusi: Ah, das ist mir neu. Offen gestanden, ich wusste bisher nicht einmal, dass es ein solches Institut überhaupt gibt.
Grauer Herr: Nun, jetzt wissen Sie es. Sie sind doch Herr Fusi, der Friseur?
Herr Fusi: Ja, ganz recht, der bin ich.
Grauer Herr: Sie sind Anwärter bei uns.
Herr Fusi: Wie das?
Grauer Herr: Sehen Sie, lieber Herr Fusi, Sie vergeuden Ihre Zeit mit Scherengeklapper, Geschwätz und Seifenschaum. Wenn Sie Zeit hätten, das richtige Leben zu führen, dann wären Sie ein ganz anderer Mensch. Alles, was Sie also benötigen, ist – Zeit. Hab' ich recht?
Herr Fusi: Ja, darüber hab' ich mir eben Gedanken gemacht.

c)
Teil 2

Grauer Herr: Finden Sie nicht, dass Sie so nicht weiterwirtschaften können, Herr Fusi? Wollen Sie nicht lieber anfangen zu sparen?
Herr Fusi: Ja, ja, ja.
Grauer Herr: Es ist niemals zu spät. Wenn Sie wollen, können Sie noch heute anfangen.
Herr Fusi: Und ob, und ob ich will! Was muss ich tun?
Grauer Herr: Aber, mein Bester, Sie werden doch wissen, wie man Zeit spart! Sie müssen zum Beispiel einfach schneller arbeiten. Statt einer halben Stunde widmen Sie sich einem Kunden nur noch eine Viertelstunde. Sie geben Ihre Mutter in ein gutes, billiges Altersheim, wo für sie gesorgt wird. Schaffen Sie den unnützen Wellensittich ab! Und vertun Sie Ihre kostbare Zeit nicht mehr so oft mit Singen, Lesen oder gar mit Ihren sogenannten Freunden.
Herr Fusi: Gut, gut, das alles kann ich tun. Aber die Zeit, die mir auf diese Weise übrig bleibt – was soll ich mit ihr machen? Muss ich sie abliefern? Und wo?
Grauer Herr: Das überlassen Sie ruhig uns. Sie können sicher sein, dass uns von Ihrer eingesparten Zeit nicht das kleinste Bisschen verloren geht. Sie werden es schon merken, dass Ihnen nichts übrig bleibt.
Herr Fusi: Also gut, ich verlass' mich drauf.
Grauer Herr: Tun Sie das getrost, mein Bester. Ich darf Sie also hiermit in der großen Gemeinde der Zeitsparer als neues Mitglied begrüßen, Herr Fusi.
Herr Fusi: Müssen wir denn nicht irgendeinen Vertrag abschließen?
Grauer Herr: Wozu? Das Zeitsparen lässt sich nicht mit irgendeiner anderen Art des Sparens vergleichen. Es ist eine Sache des vollkommenen Vertrauens – auf beiden Seiten! Uns genügt Ihre Zusage. Sie ist unwiderruflich. Und wir kümmern uns um Ihre Ersparnisse. Wieviel Sie allerdings ersparen, das liegt ganz bei Ihnen. Wir zwingen Sie zu nichts. Leben Sie wohl, Herr Fusi.

d)
Teil 3

Sobald der Agent in seinem Auto davongebraust war, verschwanden die Zahlen auf dem Spiegel. Und im selben Augenblick war auch die Erinnerung an den grauen Besucher in Herrn Fusis Gedächtnis ausgelöscht – die an den Besucher, nicht aber an den Beschluss, von jetzt an Zeit zu sparen! Den hielt er nun für seinen eigenen. Von dieser Stunde an befolgte Herr Fusi alle Ratschläge des grauen Herrn und sparte Zeit, wo er nur konnte. Aber er wurde immer nervöser und ruheloser, denn eines war seltsam: Von all der Zeit, die er einsparte, blieb ihm tatsächlich niemals etwas übrig. Sie verschwand einfach auf rätselhafte Weise und war nicht mehr da. Wie Herrn Fusi, so ging es schon vielen Menschen in der großen Stadt. Und jeden Tag wurden es mehr, die damit anfingen, das zu tun, was sie „Zeit sparen" nannten. Täglich wurden im Rundfunk, im Fernsehen und in den Zeitungen die Vorteile neuer zeitsparender Einrichtungen gepriesen, und auf den Anschlagsäulen klebten Plakate, auf denen stand: ZEITSPARERN GEHÖRT DIE ZUKUNFT! Oder: MACH MEHR AUS DEINEM LEBEN – SPARE ZEIT! Aber die Wirklichkeit sah ganz anders aus. Zwar verdienten die Zeitsparer mehr Geld und konnten mehr ausgeben, aber sie hatten missmutige, müde oder verbitterte Gesichter. Deutlich zu fühlen jedoch bekamen es die Kinder. Denn auch für sie hatte nun niemand mehr Zeit.

Ü 1

Situation 1

+ Hallo, ich bin's, Eva.
– Hallo, ich wollte dich gerade anrufen. Also, Jens und Susanne kommen auch. Jetzt ist die Frage: Wann und wo treffen wir uns?
+ Carsten und wir treffen uns um halb acht am Marktplatz. Schaffst du das?
– Ja, ich denke schon. Bis später.
+ Okay, tschüss.

Situation 2

Bitte Vorsicht auf Gleis 1. Es fährt ein: der Regionalexpress aus Augsburg mit Weiterfahrt nach Günzburg, Ulm, Stuttgart um 13.45 Uhr.

Situation 3
Das Nachmittagsprogramm bei SWR 3. Nach den Nachrichten senden wir das Radiohörspiel „Der kleine König Dezember" von Axel Hacke. Jazz-Liebhaber können sich auf die Sendung „Jazz and more" um 16.30 Uhr freuen. Heute mit Musik von Charlie Parker, Miles Davis und Dizzy Gillespie.

Situation 4
Liebe Zuschauer, das war's von der Tagesschau. Wir sind nach dem Spielfilm mit den Tagesthemen um 22.15 Uhr wieder für Sie da. Wir wünschen Ihnen einen schönen Abend.

Ü 6

+ Hallo, schön dich zu sehen!
– Grüß dich, du, ich muss gleich weiter …
+ Was denn, hast du nicht mal Zeit für einen Kaffee?
– Nein, ich hab's total eilig! Aber wie wär's nächsten Montag?
+ Ja, wann denn? So gegen zwölf?
– Ja, das ist okay, und wo?
+ Na, wie immer, im Café Einstein.
– Ja, klingt gut …
+ Ich ruf dich an, wenn etwas dazwischen kommt.
– Alles klar, bis dann!

Ü 7

c)
1. zusammen sein – 2. zu viel – 3. süß – 4. sicher – 5. zu Hause – 6. reduzieren – 7. zurück – 8. zahlen – 9. organisieren

Ü 13

Am Dienstagmorgen haben mein Kollege und ich einen Wagen kontrolliert. Das Auto ist irgendwie zu langsam gewesen. Auf jeden Fall ist der Fahrer nicht normal gefahren. Deshalb haben wir das Auto angehalten. Im Auto saß ein Vater mit seinem fünfjährigen Sohn. Der Vater hat seinen Sohn von den Großeltern bis nach Hause fahren lassen. Eine Strecke von 150 Metern. Der Mann hat dann von uns eine Strafe von 200 Euro bekommen.

2 Alltag

1 2

1. + Da kommt ja schon wieder ein Krankenwagen. Oder ist das die Feuerwehr? Ist das hier immer so laut?
   – Ja, das Krankenhaus ist hier in der Nähe. Ich überlege schon, ob ich mir eine andere Wohnung suche.
2. + Ein Strafzettel – oh nein! Ich steh' höchstens seit zwei Minuten hier, ich hab' nur etwas abgeholt!
   – Aber Sie sehen doch, dass man hier nicht parken darf! Erst ab 18 Uhr!
3. + Ich hab' eine Panne, können Sie mir helfen?
   – Na klar, kein Problem! In zwei Stunden ist alles fertig.
4. + Der Geldautomat hat meine EC-Karte gesperrt.
   – Da haben Sie sicher die falsche Geheimzahl eingegeben. Das darf man nur zweimal. Beim dritten Mal wird die Karte gesperrt.
5. + Entschuldigung, könnten Sie mich bitte vorlassen? Ich habe nur eine Milch und ein Brot.
   – Na, dann gehen Sie schon!
6. + Was suchst du denn jetzt schon wieder?
   – Ach, ich kann meinen Schlüssel und das Portemonnaie nicht finden!
7. + 25 Minuten Verspätung! Da ist ja mein Anschluss in Koblenz weg! Wie komme ich denn jetzt nach Karlsruhe weiter?
   – Moment bitte, ich seh' mal nach. Also, Koblenz – Karlsruhe ist kein Problem.
8. + Entschuldigung, könnten Sie vielleicht aufstehen und Ihren Platz der alten Dame mit der schweren Tasche geben?
   – Aber natürlich! Bitte sehr.

2 3

b)
Deutschlandfunk, 10.10 Uhr. Guten Tag, liebe Hörerinnen und Hörer, herzlich willkommen zur aktuellen Ausgabe unseres Gesundheitsmagazins „Sprechstunde". In der heutigen Sendung geht es um die Frage: „Was tun gegen Stress?" Dazu begrüße ich in unserer Expertenrunde Frau Dr. Brigitte Künert, Psychotherapeutin im Stressberatungszentrum Heidelberg, und Herrn Prof. Dr. Müller von der Universitätsklinik München. Beide stehen Ihnen anschließend – wie immer – zur telefonischen Beantwortung Ihrer Fragen zur Verfügung.
Viele Menschen klagen heute über Stress, und zwar aus ganz unterschiedlichen Gründen: die einen, weil sie zu viel Arbeit haben – die anderen, weil sie keine Arbeit finden können. Viele Menschen haben immer weniger Zeit für ihr Privatleben und für die Familie. Andere sind von familiären Pflichten – wie zum Beispiel der Pflege und Betreuung alter oder kranker Familienmitglieder – so stark belastet, dass kaum Zeit und Kraft für die ganz persönlichen Interessen bleibt. Deshalb beschäftigt viele Menschen die Frage: „Was kann man gegen Stress im Alltag tun?"
Wir haben Leute auf der Straße dazu befragt. Hören Sie zunächst einige Antworten.

c)
1. + Hallo. Wir diskutieren jetzt die Frage, wie man Stress im Alltag bewältigen kann. Darf ich Sie fragen: Was tun Sie gegen Stress?
   – Ach, eigentlich habe ich ganz gerne mal so ein bisschen Stress, aber wenn mir alles zu viel wird, ja, dann treffe ich mich mit Freunden oder gehe mit meinem Hund spazieren. Manchmal mache ich auch einfach gar nichts oder ich gehe in die Sauna. Ja, aber eigentlich, wie gesagt, ich habe gerne Stress.
2. + Und was tun Sie gegen Stress?
   – Ich gehe ins Kino und sehe mir einen schönen Film an oder ich höre gute Musik oder ich fahre mit dem Fahrrad, also, ich treibe Sport.
3. + Darf ich Sie auch fragen, was Sie gegen Stress im Alltag tun?

– Oh, ich hasse Stress, also, ich kann Stress überhaupt nicht ab, aber wenn ich Stress habe, dann schlafe ich lange und im Sommer gehe ich ganz gerne mal schwimmen, ja, und abends schaue ich natürlich fern.

Ü 2

a)
+ Guten Tag, kann ich Ihnen helfen?
– Ja, ich möchte ein Konto eröffnen.
+ Moment, da brauche ich Ihren Personalausweis oder Reisepass.
– Bitte, hier ist mein Reisepass.
+ Sie kommen also nicht aus Deutschland. Haben Sie eine Meldebescheinigung vom Einwohnermeldeamt?
– Ja, die ist hinten im Reisepass.
+ Ah ja … hier. Dann füllen Sie mal das Antragsformular aus, bitte. Ich mache schnell eine Kopie von Ihrem Pass.
– Bekomme ich auch eine EC-Karte?
+ Ja, natürlich. Aber das kann ein oder zwei Wochen dauern. Aber Sie können kommen, wenn Sie eine Überweisung machen oder Geld abheben möchten.

b)
+ Hier haben Sie Ihren Pass zurück.
– Vielen Dank. Können Sie mir bitte beim Ausfüllen des Formulars helfen?
+ Natürlich. Es geht vielleicht am schnellsten, wenn Sie mir die Informationen sagen. Also, Name und Vorname.
– Estévez-Martín, Marta. Marta ohne h.
+ Gut. Wo sind Sie gemeldet, ich meine, wie ist Ihre Meldeadresse? Ich brauche die Straße und Hausnummer.
– Vogelweg 5.
+ Hier in Offenburg?
– Ja.
+ Und Ihre Postleitzahl?
– Moment, ich glaube, das ist 77656 … Ja, 77656.
+ Jetzt brauche ich noch Ihr Geburtsdatum und den Geburtsort.
– Ich bin am 13.4.1971 in Buenos Aires geboren.
+ Okay, sind Sie verheiratet?
– Nein, ich bin geschieden.
+ Und Ihre Nationalität?
– Ich komme aus Argentinien.
+ Aha, also argentinisch. … Und was machen Sie beruflich?
– Ich bin Krankenschwester am Stadt-Krankenhaus Offenburg.
+ Dann brauche ich noch Ihre Telefonnummern. Zuerst bitte die von zu Hause.
– Das ist 88 86 54 und die Vorwahl von Offenburg ist 063 48, aber das wissen Sie ja sicher auch.
+ Und im Krankenhaus? Können wir Sie da auch telefonisch erreichen?
– Eigentlich nicht so gut. Das wird bei uns nicht gern gesehen. Sie können mich am besten zu Hause anrufen.
+ Haben Sie eine E-Mail-Adresse?
– Ja, die kann ich Ihnen geben. Das ist *em-marta@gmx.de*. Alles kleine Buchstaben.
+ So, und heute ist der 8.6.2007. Das ist auch schon alles. Bitte sehen Sie sich an, ob alles richtig ist. Dann brauche ich hier eine Unterschrift von Ihnen.

Ü 4

b)
+ Verbraucherzentrale, Beratungsservice, Petra Evers am Apparat. Guten Tag.
– Guten Tag, Eva Kirchner hier. Ich habe eine Frage zu meiner Telefonrechnung.
+ Ja, was für ein Problem haben Sie?
– Also, die Rechnung stimmt nicht. Drei oder vier Anrufe stehen dort zweimal.
+ Dann sollten Sie zuerst einen Einspruch an die Telefongesellschaft schicken. Sie können sich einen Musterbrief von unserer Internetseite ausdrucken.
– Und den Brief schicke ich an die Telefongesellschaft?
+ Ja. Bezahlen Sie aber trotzdem schon einen Teil der Rechnung.
– Gut, das mache ich. Vielen Dank.
+ Nichts zu danken. Auf Wiederhören.
– Auf Wiederhören.

Ü 13

b)
1. Ich kann dich nicht verstehen. Sprich bitte langsamer!
2. Lies doch die Gebrauchsanweisung, wenn du nicht weißt, wie das Gerät funktioniert!
3. Hast du Kopfschmerzen? Nimm doch eine Aspirin.
4. Hallo Mischa und Frank, ich komme gleich. Fangt schon mal ohne mich an!
5. Frau Mohr, ich kann heute nicht zum Bahnhof fahren. Holen Sie bitte Herrn Huber um 11.30 Uhr am Bahnhof ab.

3 Männer – Frauen – Paare

1 3

Birkner: Herzlich willkommen, liebe Zuschauer und Zuschauerinnen. In unserer Talkrunde geht es heute um ein ziemlich heißes Thema. Wir diskutieren, ob Frauen tatsächlich nicht einparken können und Männer wirklich nie zuhören. Wir haben zwei Gäste ins Studio eingeladen, die etwas dazu sagen können. Guten Tag, Herr Ebert. Was macht Sie zum Experten?

Ebert: Ich bin seit zwölf Jahren Fahrlehrer und erlebe täglich Frauen beim Einparken.

Birkner: Unser Publikum liebt das Thema. Und Sie, Frau Löscher? Was macht Sie zur Expertin?

Löscher: Ich bin Neurologin. Mich interessiert ganz besonders der Unterschied zwischen dem männlichen und dem weiblichen Gehirn. Und da gibt es schon Interessantes.

Birkner: Na klar! Das hoffe ich doch! Kommen wir auf unsere Frage zurück. Wer kann denn nun besser einparken, Herr Ebert?

Ebert: Das kann man nicht so einfach sagen. Es gibt Frauen, bei denen ich Angst habe. Ich meine nicht nur beim Einparken, wirklich, aber das geht mir bei manchen Männern auch so. Ich denke, Frauen fahren anders als Männer. Nicht schlechter, aber vorsichtiger. Das ist natürlich nur so ein Gefühl. Ich erforsche das ja nicht.

Birkner: Also ist es generell sehr schwer, eine klare Aussage zu machen, oder?

Ebert: Da bin ich ganz Ihrer Meinung. Ich finde es dumm zu sagen, dass Männer die besseren Autofahrer sind. Das ist doch ein Klischee.

Birkner: Das sehe ich nicht so wie Sie! Ich kann nicht einparken, meine Freundinnen können nicht einparken und alle Männer, die ich kenne, können es aber sehr gut. Was nun?

Löscher: Na ja, Frau Birkner – das ist nicht ganz richtig, was Sie da sagen. Wenn Sie das Einparken üben, dann können Sie es auch. Ihr Gehirn muss es nur lernen.

Birkner: Ich glaube, mein Gehirn will das Einparken nicht mehr lernen.

Löscher: Sehen Sie – genau das ist das Problem. Das Gehirn kann sehr schnell viele Dinge lernen. Wenn Sie aber immer nur denken, dass Sie nicht einparken können, dann haben Sie Angst und üben es auch nicht. Ihr Gehirn hat also keine Chance, es zu lernen. So geht es wahrscheinlich vielen Frauen. Wir leben in Klischees und fühlen uns noch gut dabei.

Birkner: Verstehe ich Sie richtig, Frau Löscher, dass ich zum Beispiel fünf Mal am Tag einparken muss und dann kann ich es, weil es mein Gehirn gelernt hat?

Löscher: Ja, so einfach ist das.

Ebert: Das stimmt. Viele Frauen haben am Anfang des Kurses Angst. Ich höre ihnen sehr genau zu, um zu verstehen, was ihr Problem ist, warum sie Angst haben. Ich erkläre dann alles sehr ruhig und langsam, tja, und nach zwei, drei Versuchen ist das alles gar kein Problem mehr.

Löscher: Ganz genau! Nur so lernt man.

Birkner: Und damit hat Herr Ebert bereits meine zweite Frage beantwortet – auch Männer können zuhören.

4 4

b)

Lea, die Nudeln sind zu weich.
Ach Quatsch, Lorenz.
Bissfest, wie immer.
Verstehst du, zu weich.
Jetzt spinnst du aber, Lorenz.
Wie lange hast du sie denn gekocht, Lea?
Wie es auf der Packung steht.
Sieben kurze Minuten.
Ich habe das im Gefühl.
Bissfeste Nudeln kleben nicht.

Ü 3

Moderator: Wir wollen heute wieder Ihre Meinung zum Thema „Single-Leben: ja oder nein?“ wissen. Rufen Sie uns an! Und wen haben wir denn da als ersten Anrufer?

Paul: Ja, hallo. Paul Kernten aus Berlin.

Moderator: Was meinen Sie zum Single-Leben?

Paul.: Ich bin seit sieben Jahren solo und ich will das auch so. Single sein bedeutet für mich frei sein. Ich kann tun und lassen, was ich will. Komme ich um drei Uhr früh nach Hause, steht keine Frau an der Tür, mit der ich mich streiten muss. Für mich ist das wichtig.

Moderator: Ich bin mir nicht sicher, ob unsere nächsten Anrufer das auch so sehen. Wer ist am Apparat?

Wolfgang & Herta: Wolfgang und Herta Wegner aus Redawiedenbrück.

Wolfgang: Ich stimme Herrn Kernten nicht zu. Frei kann man auch mit einem Partner sein. Ich habe einen festen Freundeskreis und wir haben beide unsere Hobbys und Freiräume …

Herta: Ganz genau! Das ist doch Quatsch, wenn Singles behaupten, dass man weniger Freiheiten hat. Wolfgang fährt mit seinen Kumpels in den Segelurlaub, ich gehe mit Freundinnen aus. Wir streiten über ganz andere Dinge. Singles wollen eigentlich einen Partner, aber finden keinen.

Moderator: Klare Worte von Frau Wegner. Was sagt unsere nächste Anruferin dazu?

Siri: Hi, ich heiße Siri und ich sehe es auch so. Ich bin zwar Single, aber Spaß macht mir das nicht. Ich will nicht mehr allein sein, möchte gern einen Partner, aber ich finde nicht den Richtigen. Aber dass man als Single mehr Freiheiten hat – das stimmt! Da hat Paul Recht. Ich will jedenfalls nicht mehr allein sein.

Moderator: Dann hoffen wir für Sie, dass Sie bald einen Partner finden. Und für heute der letzte Anruf. Wen haben wir jetzt an der Leitung?

Roman: Hier spricht Roman Pitschel.

Susan: Und Susan Wegerer. Wir rufen aus Bayreuth an.

Moderator: Was meinen Sie zu unserem heutigen Thema?

Susan: Das Single-Leben kann Spaß machen. Das sehe ich auch so. Ich war drei Jahre Single, bevor ich Roman kennen gelernt habe. Aber jetzt ist alles anders. Ich kann mir nicht mehr vorstellen allein zu sein. Aber was Frau Wegner sagte – dass sich jeder Single nur einsam fühlt und nach einem Partner sucht –, da stimme ich absolut nicht zu. Es gibt viele glückliche Singles, und ich war auch einer.

Roman: Na ja, Susan. Das kann man so nicht sehen. Ich bin der Meinung, dass kein Mensch gern länger als zwei, drei Jahre Single ist.

Moderator: Ich danke für die Anrufe und wir spielen jetzt ein Lied für alle einsamen oder auch glücklichen Singles da draußen …

Ü 5

Interviewer: Wo haben Sie sich kennen gelernt und wie lange sind Sie bereits ein Paar?
Ingeborg: Wir sind seit fast 50 Jahren verheiratet. Eine lange Zeit. Wir haben uns beim Dorftanz kennen gelernt. Gerthold war damals der beste Tänzer von allen.
Moderatorin: 50 Jahre. Das ist eine lange Zeit. Wollten Sie eigentlich so jung heiraten?
Gerthold: Ich bin streng katholisch erzogen. Deswegen haben wir nach vier Monaten geheiratet.
Ingeborg: Da gab es aber noch einen anderen Grund, Gerthold. Die Ursula war ja schon unterwegs. Heute muss man nicht mehr verheiratet sein, um Kinder zu bekommen. Aber damals …!
Interviewer: Wie viele Kinder haben Sie denn?
Ingeborg: Insgesamt fünf. Ursula, Wolfgang, Gert, Roland und Sigrid.
Interviewer: So viele Kinder – das war ja früher normal, aber sicherlich auch nicht immer einfach für Sie …
Gerthold: Ja, das war nicht immer einfach, aber wir haben sie alle groß bekommen. Ursula, unsere Älteste, ist Ärztin. Wolfgang, Gert und Roland arbeiten in der gemeinsamen Malerfirma und Sigrid ist Physiotherapeutin. Die leben viel freier und besser als wir damals.
Interviewer: Sie sind bestimmt sehr stolz …
Ingeborg: Ja, wir sind sehr stolz auf unsere Kinder, aber dass Wolfgang nicht heiraten will und Ursula eine Putzfrau für den Haushalt bezahlt – das verstehen wir alten Leute nicht mehr.
Interviewer: Sie haben erzählt, was Ihre Kinder beruflich tun. Was sind Sie von Beruf?
Gerthold: Ich bin Elektriker, habe aber in den letzten Jahren vor der Rente zum Schlosser umgeschult. Ich bin dann mit 62 in Frührente gegangen.
Interviewer: Und Sie, Frau Ludwig? Bei fünf Kindern …
Ingeborg: Ja, ja, ich weiß schon, was Sie sagen wollen. Stimmt ja auch. Ich habe von früh bis spät in die Nacht Essen gekocht, Wäsche gewaschen, die Kinder versorgt. Als Roland dann in die Schule kam, habe ich halbtags als Schneiderin gearbeitet.
Interviewer: Und jetzt sind Sie beide in Rente. Wer macht denn da den Haushalt?
Ingeborg: Ich mache den Haushalt. Das ist doch normal. Gerthold hilft mir, seit er in Rente ist.
Gerthold: Wenn ich nur einen Topf in die Hand nehme, wirft mich Ingeborg aus der Küche.

4 Deutschlands größte Stadt

1 3

\+ Frau Kowalski, können Sie uns ein bisschen über Ihre Familie erzählen?
– Ja, ich würde sagen, ich komme aus einer typischen Bergarbeiterfamilie. Mein Urgroßvater und meine Urgroßmutter, also die Großeltern meines Vaters, kommen aus Oberschlesien. Die Kowalskis sind 1905 ins Ruhrgebiet eingewandert. Mein Urgroßvater war damals 23 und meine Urgroßmutter 20. Damals sind viele Polen ins Ruhrgebiet gezogen, weil es dort Arbeit im Bergbau gab. Die Arbeit unter Tage war hart und ungesund. Mit 45 konnte er schon nicht mehr arbeiten. Er hat sich dann um das kleine Häuschen gekümmert und um seine Brieftauben.
\+ Und Ihr Großvater?
– Mein Großvater wurde 1915 geboren. Er war auch Bergmann. 1943 ist er im Krieg gefallen. Mein Vater hat nach dem Krieg bei Krupp in Essen gearbeitet. 1966 gab es eine Wirtschaftskrise. Das Stahlwerk musste schließen und er war arbeitslos. Er hat dann eine Umschulung gemacht und ab 1970 dann in einem Supermarkt gearbeitet. Meine Mutter hat in der Zeit angefangen, halbtags in einer Firma im Büro zu arbeiten.
\+ Haben Sie Geschwister?
– Ja, einen Bruder, Bernd. Wir haben beide studiert. Bernd arbeitet in Köln beim WDR als Fernsehredakteur und ich als Lehrerin in Wanne-Eickel.

4 6

Ich bin in Doatmund groß gewoaden. Bei uns gabs jed'n Sonntach nache Kirche wat Feines: Ka'toffeln, Gemüse und 'n oadentliches Stück Fleisch. Man wa' ja nich' bei arme Leuten, ne? Im Somma wuad dann teechlich Guakensalaat gegess'n – die mussten ja wech, die Guaken ausm Gaaten. Dat hat mein'm Vadda ga' nich' gefall'n. Der wa' ja im Beeachbau und wollt was Gescheites ham. Abends isser dann nache Buude, ne, 'n Bierchen trinken, mit sein' Kumpel Hoast, ne. Ich hab dann so lange gequengelt, bis ich 'n Eis krichte oder Gemischtes für'n Groschen.

Ü 5

b) und **c)**

\+ Henning Baum ist Sportdirektor eines Fußballvereins im Ruhrgebiet. Wir haben mit ihm ein Interview gemacht. Herr Baum, wie kann man sich die große Begeisterung für den Fußball im Ruhrgebiet erklären?
– Ja, da muss man sich zuerst mit der Geschichte des Ruhrgebiets beschäftigen. Das Ruhrgebiet ist ja nicht nur eine starke Wirtschaftsregion in Deutschland. Hier leben viele Menschen auf engem Raum.
\+ Wie würden Sie die Menschen denn beschreiben?
– Viele der Familien, die hier leben, sind nicht von hier. Oft sind schon die Väter und Großväter im 19. Jahrhundert als Bergarbeiter in die Region gekommen. Die Arbeit in den Bergwerken und in der Stahlindustrie war hart und ungesund.

+ Aber was hat das mit dem Fußball zu tun?
– Der Sport war am Anfang ein Ausgleich zur harten Maloche. Man konnte bei einem spannenden Spiel den Alltag vergessen. Das ist heute eigentlich auch noch so. Im Sport gibt es keine Grenzen. Im Verein ist es egal, ob Sie aus Polen, Italien, Deutschland oder der Türkei kommen. Es spielt auch keine Rolle, ob Sie arm oder reich sind.
+ Fußball ist also so etwas wie eine Sprache, die alle verbindet?
– Ja, das könnte man so sagen. Sehen Sie sich zum Beispiel mal Schalke 04 an. Die Mitglieder kommen auch heute noch aus ganz unterschiedlichen Ländern und gesellschaftlichen Bereichen. Im Verein gibt es zum Beispiel Arbeiter, Angestellte und Akademiker, und die Spieler kommen aus vielen Ländern.
+ Was bedeutet der Verein denn für diese Menschen?
– Man kann sagen, dass der Verein so etwas wie eine zweite Heimat ist. Der FC Schalke 04 hat zum Beispiel über 57 000 Mitglieder und ist der zweitgrößte Fußballverein Deutschlands. Und auf die moderne Veltins-Arena, die 2001 eröffnet wurde, sind die Mitglieder besonders stolz!

Ü 6

+ Notrufzentrale, Möller, guten Tag.
– Hallo, mein Name ist … Ich möchte einen Unfall melden.
+ Wo ist der Unfall passiert?
– Im Mikado. Das ist ein japanisches Restaurant in der Ulmenstraße 5.
+ Wie viele Verletzte gibt es?
– Mein Chef ist auf der Treppe ausgerutscht und kann nicht mehr aufstehen.
+ Jetzt mal ganz langsam. Welche Verletzungen hat er denn?
– Er kann das rechte Bein nicht bewegen und hat starke Schmerzen im Rücken.
+ Kann der Verletzte sprechen?
– Ja, er hat mich ja selbst gerufen.
+ Sie sind also im Mikado in der Ulmenstraße 5?
– Ja, das ist richtig.
+ Ich schicke Ihnen sofort einen Rettungswagen.
– Vielen Dank. Hoffentlich dauert es nicht so lange!

Ü 10

a)
1. nette – 2. 26-jähriger – 3. verrückten – 4. überraschten – 5. jungen – 6. letzten – 7. kleinen – 8. großes

c)
Ein 26-jähriger Angestellter wurde schwer verletzt, als er vor den Augen der überraschten Kollegen ein großes Bierglas essen wollte. Man weiß noch nicht, was den jungen Mann zu dieser verrückten Idee führte. Wie der Geschäftsführer der kleinen Firma unserer Zeitung sagte, fiel der sonst immer nette Mann in der letzten Zeit nicht durch sein Verhalten auf.

5 Schule und lernen

1 2

+ Karina, du hast gerade dein Abi gemacht. Auf welche Schulen bist du gegangen?
– Ich bin mit drei in den Kindergarten gekommen und mit sechs in die Grundschule. Auf der Grundschule war ich vier Jahre lang, und dann war ich von 1999 bis 2001, also zwei Jahre, auf dem Gymnasium, aber meine Noten waren zu schlecht, sodass ich dann auf die Realschule gegangen bin. Da war ich dann viel besser. Nach meinem Realschulabschluss in der 10. Klasse, also mit 16, bin ich dann wieder aufs Gymnasium gegangen, zwei Jahre lang. Nach der 12. Klasse hab ich dann mein Abi gemacht, das war im Mai. Die Prüfungen waren schon hart und stressig, aber ich hab's geschafft!

2 2

b)
+ Ja, hallo Lennart, du kommst gerade aus der Schule, wie sieht denn eigentlich ein normaler Schultag bei dir aus?
– Also, meine Schule beginnt 8.15 Uhr, da fahre ich mit dem Bus hin, dann haben wir acht Stunden Unterricht, nach der Schule haben wir dann noch AGs, wo wir Sport machen und anderes, und dann fahre ich mit'm Bus wieder nach Hause.
+ Aha, und was ist denn eigentlich dein Lieblingsfach?
– Sport, weil wir da immer so viele Spiele machen.
+ Gibt's auch ein Fach, das du nicht so sehr magst?
– Ja, das ist Deutsch, weil wir immer so viel schreiben.
+ Und wie sieht es denn bei dir mit den Noten aus?
– Sehr gut in fast allen Fächern.
+ Oh, das ist schön.

3 7

1. Du magst Urlaub in den Bergen? Das wäre mir zu langweilig.
2. Besuchst du deine Oma regelmäßig? Ich würde sie besuchen.
3. Ich sollte ein neues Computerprogramm installieren. Aber ich wusste nicht, wie es geht.
4. Du hast Montag Prüfung? Ich hätte echt Stress vor der Prüfung.
5. Kennst du Klaus? Er konnte mir sofort helfen.
6. Wie ihr Zeugnis wird? Sie müsste die Klasse wiederholen.

Ü 2

Text 1
Also, ich bin Michaela und komme aus Hannover. In diesem Jahr mache ich meinen Realschulabschluss. Ich bin zuerst vier Jahre zur Grundschule gegangen. Da hat mir das Lernen noch viel Spaß gemacht. Danach bin ich in die Orientierungsstufe gekommen. Das war schon schwieriger. Die neue Schule, die neuen Lehrer … Im siebten Schuljahr bin ich dann in die Realschule gekommen. Jetzt bin ich in der zehnten

Klasse. Ich habe lange überlegt, was ich nach dem Realschulabschluss machen soll. Ich könnte jetzt doch noch aufs Gymnasium gehen und das Abitur machen, aber ich fange am 1. August eine Ausbildung zur Optikerin an. Wenn ich möchte, kann ich danach immer noch das Fachabitur oder Abitur machen und studieren.

Text 2
Hallo, ich bin der Cemal und komme aus der Türkei. Meine Mutter ist Deutsche. Deshalb habe ich zwei Jahre die deutsche Schule in Istanbul besucht. Dann sind wir nach Berlin gezogen. Am Anfang war es ziemlich schwierig für mich. Ich konnte zwar schon sehr gut Deutsch, aber meine Freunde aus Istanbul haben mir gefehlt. Trotzdem bin ich gerne zur Schule gegangen. Weil ich in der Schule gut war, konnte ich gleich nach der Grundschule aufs Gymnasium gehen. Meine Eltern fragen mich dauernd, was ich nach dem Abitur machen will. Sie möchten am liebsten, dass ich Medizin studiere und Arzt werde, aber das passt irgendwie nicht zu mir.

Text 3
Mein Name ist Jan. Ich bin jetzt 16 und echt froh, dass ich schon in der neunten Klasse bin und dieses Jahr endlich meinen Hauptschulabschluss machen kann. Ich möchte danach eine Ausbildung zum Möbeltischler machen. Ich habe schon als Kind viel gebastelt. Den ganzen Tag am Schreibtisch sitzen und lernen war noch nie etwas für mich. Ich mag lieber etwas Praktisches. In der Grundschule hatte ich in Deutsch eine Sechs, und deshalb musste ich das vierte Schuljahr wiederholen. Meine Eltern haben sich damals große Sorgen gemacht. Auf der Hauptschule hat es mir schon besser gefallen. Ich hatte weniger Probleme und wir haben im Unterricht oft praktische Dinge gelernt. Natürlich muss ich in meiner Ausbildung auch zur Berufsschule gehen, aber das schaffe ich schon irgendwie.

Ü 12

der Bauer – die Bäuerin
der Koch – die Köchin
der Arzt – die Ärztin
das Dorf – die Dörfer

die Angst – ängstlich
die Gefahr – gefährlich
die Natur – natürlich
die Wut – wütend

küssen – der Kuss
backen – der Bäcker
schmücken – der Schmuck
tanzen – der Tänzer

Zertifikatstraining

Hörverstehen Teil 1

Guten Tag, liebe Hörerinnen und Hörer. Unser Thema heute ist „Meine Schulzeit". Wir haben Leute auf den Straßen Berlins gefragt, wie sie ihre Schulzeit erlebt haben. Hier einige Antworten, die wir am interessantesten fanden. Hören Sie selbst!

1
Nun, damals war alles anders. Wir hatten viel Respekt vor den Lehrern. Es gab weniger Drogen und Gewalt an der Schule. Meistens waren alle diszipliniert und freundlich. In meiner Schulzeit habe ich meine erste Frau Annette kennen gelernt. Sie war ein Jahr jünger als ich und ging mit meiner Schwester in eine Klasse. Die beiden waren befreundet und Annette war oft bei uns zu Besuch. Wir haben uns verliebt und nach dem Abi geheiratet.

2
Oh, meine Schulzeit war sehr schön! Das hatte aber wenig mit der Schule zu tun. Ich war damals Sportler, ich habe Leichtathletik gemacht und habe jeden Tag trainiert. Da blieb wenig Zeit für Hausaufgaben, Freunde und Familie ... Dann habe ich mich im Sportunterricht schwer verletzt und durfte nicht mehr so viel trainieren. Das war in der 10. Klasse. Damit war meine Sportkarriere beendet.

3
Meine Schulzeit war ganz anders als in Deutschland. Ich komme aus Usbekistan. Als ich in der Grundschule war, gab es noch die Sowjetunion. Dann wurden wir unabhängig und vieles hat sich verändert, auch in den Schulen. Wir brauchten neue Lehrbücher und für unsere Lehrer war es auch schwierig. Ich selber war ein „Lehrerkind" – meine Mutter war meine Klassenlehrerin! Die Lehrerkinder hatten es in unserer Schule nicht leicht, aber ich persönlich hatte damit keine Probleme. Ich kannte aber einige, die in der Klasse keine Freunde hatten, weil ihre Eltern Lehrer waren.

4
Na ja, mein Abitur habe ich nicht in Deutschland gemacht. Nach der fünften Klasse haben mich meine Eltern nach England ins Denstone College geschickt. Am Anfang war es für mich nicht leicht: fremde Sprache, fremde Kultur, keine Freunde. Aber ich habe mich schnell an alles gewöhnt und nach ein paar Monaten sprach ich genauso gut Englisch wie alle anderen. Das College ist sehr alt und wirklich schön. Es hat sogar einen eigenen Golfplatz! Ich habe das College mit „sehr gut" abgeschlossen. England war toll!

5
Also, ich hatte in der Schule nur Probleme: Ich habe zwar immer gute Noten bekommen, hatte aber eine große hässliche Brille und war ziemlich dick. Ich war die Kleinste in der Klasse und alle haben mich ausgelacht. Ich hatte keine Freunde. Nur die Lehrer waren gut zu mir, weil ich ja fleißig war. Ich bin sehr froh, dass meine Schulzeit vorbei ist.

6
Sie fahren auf der A3 Düsseldorf Richtung Frankfurt und hören im Radio folgenden Hinweis:
„... und jetzt die aktuelle Verkehrslage. Auf der Autobahn A4 Eisenach Richtung Dresden zwischen Erfurt und Weimar kommt Ihnen ein Falschfahrer entgegen. Bitte fahren Sie rechts und überholen Sie nicht. Achtung: Falschfahrer auf der A4 Eisenach Richtung Dresden!
Auf der A3 Düsseldorf Richtung Frankfurt 25 Kilometer Stau wegen Unfall. Und zum Schluss noch die aktuellen Blitzer: In Köln auf der ...“

7
Sie haben Zahnschmerzen und möchten bei Ihrem Zahnarzt telefonisch einen Termin vereinbaren:
„Guten Tag. Sie sind mit dem Anrufbeantworter der Arztpraxis Dr. Bergmann verbunden. Unsere Praxis ist vom 11. bis zum 21. Mai geschlossen. In dringenden Fällen wenden Sie sich bitte an unsere Vertretung – Frau Dr. Michael in der Lutherstraße 9. Die Sprechzeiten sind: Montag bis Freitag: acht bis zwölf Uhr, am Dienstag und Donnerstag: 13 bis 18 Uhr. Die Telefonnummer ist 03 84 35 61 67.“

8
Sie fahren mit dem ICE von Stuttgart nach Berlin. Kurz vor Frankfurt hören Sie den folgenden Hinweis:
„Sehr geehrte Kunden, aus technischen Gründen endet dieser ICE in Frankfurt Hauptbahnhof. Zur Weiterfahrt wird für Sie ein Ersatzzug bereitgestellt. Um 13.50 Uhr erreichen wir Frankfurt/Main Hauptbahnhof. Der Ersatzzug fährt um 14.10 Uhr auf Gleis sieben. Bitte beachten Sie die Durchsagen am Bahnsteig. Danke für Ihr Verständnis und eine angenehme Weiterreise!“

9
Sie sind im Supermarkt und hören folgende Werbung:
„Verehrte Kunden, probieren Sie in der Getränkeabteilung unsere neuen Produkte! Erfrischender Energydrink mit Birnengeschmack für 1,39 Euro! Kalorienarmer Eistee mit frischem Geschmack von Zitrone oder Pfirsich für 1,79 Euro! Weiter haben wir diese Woche für Sie im Angebot: Grannys-Apfelsaft für nur 1,29 Euro und Grannys-Apfel-Kirsch-Saft für nur 1,89 Euro.“

10
Sie wollen am Wochenende Ihre Freunde in Süddeutschland besuchen und möchten gerne wissen, wie das Wetter sein soll. Sie hören im Radio die folgende Wettervorhersage:
„... die aktuellen Temperaturen – München: sonnig, 21 Grad, Stuttgart: sonnig, 22 Grad und Konstanz: leicht bewölkt, 22 Grad. Und jetzt die Wettervorhersage für das Wochenende: Es bleibt trocken und sonnig. Temperaturen: 22 bis 25 Grad. Nachts 10 bis 14 Grad. Erst ab Montag ist mit leichtem Regen und sinkenden Temperaturen zu rechnen. Wir wünschen Ihnen noch einen wunderschönen Nachmittag ...“

Bildquellen

Cover unten: © pixelio.de
S. 4 Start B1: © Cornelsen, Funk; E5: © Cornelsen, Abt
S. 7 E10: © pixelio.de
S. 8 b: © Cornelsen, king & queen media
S. 9 e: © Cornelsen, Funk; g: © Cornelsen, Funk
S. 12 Hintergrund: © Cornelsen, Corel
S. 13 a, b: © Cornelsen, Kuhn; unten: © Cornelsen, Corel
S. 20 a: © DB, AG; b: © Bananastock RF
S. 21 Mitte rechts: © SNCF; unten links: © pixelio.de; 2. von links, oben u. unten: © Comstock RF
S. 22 oben: © Getty RF; unten: © Comstock RF
S. 25 a: © pixelio.de; b: © mauritius images RF
S. 30 © Cornelsen, Kämpf
S. 31 © Behörde für Inneres, Hamburg
S. 33 c: © adpic RF; d: © mauritius images RF; a, e: © Bildunion RF
S. 37 © Bildunion RF
S. 38 a, c: © mauritius images RF
S. 43 oben: © Comstock RF; links: © adpic RF; rechts: © pixelio.de
S. 54 © mauritius images / Bananastock RF
S. 56 von links nach rechts: © Fontshop RF; © Comstock RF; © Imagesource RF; © Comstock RF
S. 58 © Comstock RF
S. 59 © Imagesource RF; © Getty RF
S. 62 b, d: © Regionalverband Ruhr
S. 63 i: © Cornelsen, Archiv; b, d, f: © Regionalverband Ruhr; h: © pixelio.de
S. 68 unten: © Cornelsen, Renner
S. 70 c: © pixelio.de; unten links: © Presse- und Imformationsamt der Stadt Bochum
S. 74 oben: © pixelio.de
S. 75 © GNU, Trexer
S. 79 © Cornelsen, Funk
S. 80 © Geistalschule Bad Hersfeld
S. 81 oben links, rechts: © Geistalschule Bad Hersfeld; unten links: © Comstock RF
S. 84 links: © latis RF; Mitte, rechts: © pixelio.de, © Creative Commons, L. Roth
S. 85 oben: © Stephan Rumpf; Mitte: © Creative Commons Att. 2
S. 86 oben rechts: © Cornelsen, Finster; unten links: © Geistalschule Bad Hersfeld; unten rechts: © Cornelsen, ips
S. 94 rechts: © Comstock RF
S. 95 oben links: © Creative Commons, F.C. Müller
S. 102 links oben: © mt-journal; links unten: flickr © rene_imre

Cover oben: © Corbis, Skelley
S. 4 E1, E2: © mauritius images; E3: © Johanna Freise; E4: © ullstein bild
S. 7 E6: © ullstein bild; E7: © Stock4B; E8: © mauritius images; E9: © Picture-Alliance/dpa
S. 8 a: © P. Widmann; c: © Picture-Alliance/ZB
S. 9 d: © G. Hahn; f: © Teamwork, Duwentaester
S. 12 a: © ullstein bild; b: © mauritius images; c: © mauritius images; d: © ullstein bild; f: © mauritius images; g: © Picture-Alliance/dpa;
S. 16 a: © ullstein bild / Caro; b: © Picture-Alliance/akg; c: © ullstein bild; d: © ullstein bild / akg; e: © ullstein bild; f: © ullstein bild / C.T. Fotostudio
S. 20 c: © ullstein bild; d: © mauritius images
S. 21 oben rechts, unten rechts: © Cornelsen, Schulz
S. 24 © mauritius images
S. 25 c: © Cornelsen, Schulz
S. 28 a, d: © Cornelsen, Schulz; b: © ullstein bild; c: © BilderBox
S. 29 e, g: © mauritius images; f: © ullstein bild; h: © Cornelsen, Schulz
S. 30 © Cornelsen, Kämpf
S. 32 © Picture-Alliance / Picture Press
S. 33 b, unten: © BilderBox; f: © ullstein bild
S. 38 b: © ullstein bild / Joker
S. 46 a: © ullstein bild; b: © mauritius images
S. 46/47 Mitte: © Keystone
S. 48 © Cornelsen, Schulz
S. 49 links: © ullstein bild; rechts: © BilderBox
S. 51 © Jahreszeiten Verlag

S. 52 © Johanna Freise
S. 54 © Globus Infografik
S. 57 © mauritius images
S. 62 c: © ullstein bild
63 e: © ullstein bild; g: © mauritius images
S. 64 links: aus Michael Holzach, Timm Rautert, „So deutsch wie Wachowiak", in Zeit-Magazin, Nr. 13, 1974, S. 18; rechts: © Picture-Alliance/akg-images
S. 68 oben: © blickwinkel
S. 69 oben: © Les Éditions Albert René; unten: © ullstein bild
S. 70 a, b, unten rechts: © ullstein bild
S. 71 a, b, c: © ullstein bild
S. 72 © ullstein bild
S. 74 unten: © Cornelsen, Schulz
S. 81 Mitte oben: © Picture-Alliance/dpa; Mitte unten: © Fotex; rechts unten: © BilderBox
S. 85 unten: © United Features Syndication Inc. / distr. kipkakomiks.de
S. 86 oben links: © Picture-Alliance/dpa; unten Mitte: © Cornelsen, Schulz
S. 87 © Cornelsen, Schulz
S. 88 © Picture-Alliance/dpa
S. 94 links: © mauritius images
S. 97 © Keystone
S. 98 © Picture-Alliance/akg-images
S. 100 © jobTV24.de
101 © jobTV24.de
S. 102 links außen: © REGIERUNGonline; links Mitte: © ddp; rechts oben und unten: © Picture-Alliance/dpa; rechts Mitte: © ullstein bild
S. 103 oben: © images.de; unten: © ullstein bild

Textrechte

S. 39 © Verbraucherzentrale Bundesverband e.V.
S. 53 „Aurélie", Text und Musik: Wir sind Helden, © Freudenhaus Musikverlag / Wintrup Musikverlag, Detmold
S. 69 „Bochum", Text und Musik: Herbert Grönemeyer, © Grönland Musikverlag administriert von Kobalt Music Ltd.
S. 103 „Der Theodor im Fussballtor", © 1948 by Siegel Ralph Maria Musik Edition Nachfolger / Chappell & Co. GmbH & Co. KG

Nicht alle Copyrightinhaber konnten ermittelt werden; deren Urheberrechte werden hiermit vorsorglich und ausdrücklich anerkannt.

Auf dieser CD für die Lerner finden Sie alle Hörtexte zum Übungsteil.

Inhalt

studio d B1

Deutsch als Fremdsprache

Lösungen zum Teilband 1

Start B1

1 5

Vorschläge

a)
die Hauptstadt, die Großstadt, die Stadtführung, das Stadtviertel, der Stadtplan

b)
der/die Arbeiter/in, arbeiten, der/die Arbeitslose, arbeitslos, die Arbeitsagentur

c)
die Aussprache, die Fremdsprache, die Sprachschule, die Muttersprache, der Sprachkurs

d)
das Beispiel, das Fußballspiel, der/die Spieler/in, das Spielzeug, spielen

2 1

Die Leute konnten Norbert an den Brief erinnern, weil Cora einen zweiten Zettel auf seinen Mantel geklebt hat. Auf den Zettel hat sie geschrieben: „Bitte sagen Sie meinem Mann, dass er den Brief zur Post bringen soll."

2 3

a)
Korrekturvorschläge:
Das Hotel war alt. – Es hat sehr oft geregnet. – Sie konnten nicht schlafen, weil die Disko so laut war. – Das Hotel war drei Kilometer vom Strand entfernt und das Wasser war sehr kalt.

2 4

a)
kl̩asse – verp̩asst – fant̩astisch – f̩urchtbar – die D̩isko – l̩angweilig – s̲uper – die Adr̩esse

2 5

2f – 3h – 4e – 5a – 6g – 7c – 8b

1 Zeitpunkte

1 2

a) 1b – 2a – 3b – 4a

1 4

b)
1. Das Warme wird kalt – 2. Alles zu seiner Zeit – 3. Der Narre gescheit – 4. Der Reiche wird arm – 5. Das Kalte wird warm – 6. Der Junge wird alt – 7. Das Nahe wird weit

2 1

a)
küssen: 2 Wochen – mit den Kindern spielen: 9 Monate – kochen: 2 Jahre und 2 Monate – essen: 5 Jahre – fernsehen: 5 Jahre 6 Monate – arbeiten: 7 Jahre

2 6

b)
Vorschläge
Während sie telefoniert, gießt sie die Blumen. – Während sie schreibt, trinkt sie Kaffee. – Während sie am Computer arbeitet, telefoniert sie.

3 1

Foto a: Zeile 36–38
Foto b: Zeile 3–5
Foto c: Zeile 6–8
Foto d: Zeile 9–12
Foto e: Zeile 19–25
Foto f: Zeile 26–27

3 2

a)
Falsch: 3. und 4.
Korrektur der falschen Sätze:
3. Während der Teilung Deutschlands war Ost-Berlin die Hauptstadt der DDR.
4. Nach dem Bau der Mauer 1961 durften die Ost-Berliner nicht mehr nach West-Berlin und in die Bundesrepublik reisen.

b)
1. König Friedrich Wilhelm II. baute das Brandenburger Tor.
2. Die Nationalsozialisten zogen am 30. Januar 1933, nach ihrer Machtübernahme, durch das Brandenburger Tor.
3. Am Ende des Krieges wurde Deutschland geteilt.
4. 1949 wurden die beiden deutschen Staaten, die Bundesrepublik Deutschland (BRD) und die Deutsche Demokratische Republik (DDR), gegründet.
5. Ost-Berlin wurde Hauptstadt der DDR.
6. 1990 wurden die beiden deutschen Staaten wiedervereinigt.
7. Zur Fußballweltmeisterschaft 2006 trafen sich am Brandenburger Tor die Fußballfans.

3 3

30. Januar 1933: Machtübernahme der Nationalsozialisten
1. September 1939: der Zweite Weltkrieg begann
8. Mai 1945: Ende des Zweiten Weltkrieges
13. August 1961: die DDR-Regierung baute die Berliner Mauer
9. November 1989: die Mauer fiel

3 4

a)
Interview 1: Wo? In Israel – *Was getan?* nach Tel Aviv gefahren, im Mittelmeer gebadet, an Deutschland gedacht

Interview 2: Wo? In Jena – *Was getan?* Bei der Demonstration gewesen, zu Hause ferngesehen
Interview 3: Wo? In Spanien – *Was getan?* Zu jedem Zeitungskiosk und in jede Bar mit Fernseher gerannt, Nachrichten im Fernsehen gesehen

4 1

regelmäßig: bauen – baute, enden – endete, feiern – feierte
unregelmäßig: ziehen – zog, beginnen – begann, werden – wurde, dürfen – durfte, stehen – stand, fallen – fiel, treffen – traf

Ü 1

a) b –a – d – c

b)
halb acht – 13.45 Uhr – 16.30 Uhr – 22.15 Uhr

Ü 2

Vorschläge
der Zeitpunkt – die Zeitschrift – die Teilzeit – das Zeitgefühl – die Freizeit – die Hochzeit – die Halbzeit

Ü 3

Vorschläge
Z: Zeitung lesen – E: Freunde treffen – I: Briefe schreiben – M: schwimmen – I: Sport treiben – H: Deutsch lernen

Ü 4

1. Männer sehen Frauen länger hinterher als Frauen Männern. / Frauen sehen Männern kürzer hinterher als Männer Frauen.
2. Ein Mann sieht jeden Tag ca. acht Frauen an.
3. Frauen sehen am Tag durchschnittlich zwei Männern hinterher.
4. Frauen sehen Männern zuerst in die Augen.
5. Männer und Frauen sehen sich in Diskos, Bars, Supermärkten, Bussen und Bahnen an.

Ü 5

2f – 3b – 4a – 5d – 6c

Ü 7

a)
Herr Güler meint, halb sieben / 18.30 Uhr ist eine gute Zeit zum Einkaufen.
Frau und Herr Güler meinen, elf Uhr / 23 Uhr ist eine gute Zeit zum Ausgehen.
Herr Güler meint, Viertel vor eins / 0.45 Uhr ist eine gute Zeit zum Arbeiten.

b)
Vorschläge
Bei uns in … ist 14 Uhr eine gute Zeit zum Mittagessen.
Ich finde, 23 Uhr ist eine gute Zeit zum Schlafen.
Für mich ist 7 Uhr eine gute Zeit zum Aufstehen.
Für mich ist 24 Uhr eine gute Zeit zum Tanzen.

Ü 8

a)
der Zeitpunkt – die Freizeit – die Lebenszeit – der Zeitdruck – die Arbeitszeit – die Wartezeit – der Zeitplan – zeitlos

b)
1. Zeit – 2. so – 3. sehen – 4. zieh – 5. zelten – 6. See

c)
1. zusammen sein – 2. zu viel – 3. süß – 4. sicher – 5. zu Hause – 6. reduzieren – 7. zurück – 8. zahlen – 9. organisieren

Ü 9

a)
1. Während Nina die Zeitung liest, streichelt sie die Katze.
2. Während sie duscht, singt sie ihr Lieblingslied.
3. Sie telefoniert mit einer Freundin, während sie die Wohnung putzt.
4. Während sie kocht, kommt ihre Mutter.

b)
Vorschläge
Während ich telefoniere, lese ich nicht. – Während ich schlafe, träume ich. – Während ich fernsehe, singe ich nicht. – Während ich wandere, höre ich Musik. – Während ich lerne, spreche ich. – Während ich dusche, koche ich nicht. – Während ich Zeitung lese, frühstücke ich.

Ü 10

sehen, sah, gesehen
finden, fand, gefunden
bleiben, blieb, geblieben
schlafen, schlief, geschlafen
entscheiden, entschied, entschieden
schreiben, schrieb, geschrieben
beginnen, begann, begonnen
bekommen, bekam, bekommen
liegen, lag, gelegen
ziehen, zog, gezogen
werden, wurde, geworden

Ü 11

2. bekam – 3. baute – 4. fanden – 5. bekam – 6. wohnten – 7. wurde – 8. lag – 9. durfte – 10. begann – 11. zogen – 12. war

Ü 12

a) 1c – 2a – 3b

b)
regelmäßig: schaffte, reiste, begrüßte, antwortete, weckten
unregelmäßig: brach, lief, ausstieg, sprang, wollte, hatte, musste, brachte, riefen … an, war, rief … an, hatte, fuhr

Ü 13

zwei Polizisten – Dienstagmorgen – einen Wagen kontrolliert
das Auto – **zu langsam** fahren, nicht normal
deshalb – Auto anhalten
im Auto: **Vater** und Sohn (5 Jahre alt)
der Sohn hat das Auto gefahren – **150** m
der Vater – eine Strafe (**200 Euro**) bekommen

Zertifikatstraining

1c – 2b – 3c – 4c – 5c – 6a – 7b – 8a – 9c – 10a

1 1

1e – 2f – 3h – 4g – 5a – 6d – 7c – 8b

1 2

1. Oder ist das die Feuerwehr? – 2. Erst ab 18 Uhr! – 3. In zwei Stunden ist alles fertig. – 4. beim dritten Mal wird die Karte gesperrt. – 5. und ein Brot. – 6. und das Portemonnaie. – 7. Also, Koblenz–Karlsruhe ist kein Problem. – 8. mit der schweren Tasche.

1 4

a)
Die Kundin hat die Geheimzahl für ihre EC-Karte vergessen und die Karte wurde gesperrt. Jetzt muss sie eine neue Karte beantragen.

b)
2. beantragen – 3. ausfüllen und unterschreiben – 4. zuschicken – 5. auszahlen

1 6

a) 1B – 2A – 3A – 4B – 5B – 6A

2 1

a)
Sabine Schröder arbeitet als Texterin bei einer Werbeagentur.

b)
Vorschlag
Gründe für Stress: sehr lange arbeiten – unter Zeitdruck Ideen produzieren – nie richtig Zeit haben
Folgen: keine Zeit für persönliche Dinge (Zahnarzt, einkaufen, Freunde) – Partnerschaft kaputt – sich oft leer fühlen – keine Zeit, sich ein Hobby zu suchen

2 3

b)
Titel der Sendung: „Sprechstunde"
Thema: „Was tun gegen Stress?"

c)
1 – 2 – 4 – 5 – 6 – 7 – 8 – 9 – 12 – 13 – 14

3 1

1. Freundinnen – 2. Mutter – 3. Chef – 4. Hund

3 5

Vgl. Grammatik auf einen Blick, Nr. 22

3 8

Regel
Nach *weil* folgt ein **Neben**satz, das Verb steht **am Ende**. Nach *darum/deshalb/deswegen* folgt ein **Haupt**satz, das Verb steht auf **Position 2**.

4 1

a)
Lachen ist gesund, weil es im menschlichen Organismus verschiedene biochemische Prozesse auslöst, die den Körper und die Psyche positiv beeinflussen.

b)
g und a: Syrien und Portugal, f: Griechenland, d: China, e: Russland, b: Italien, c: Vietnam

Ü 1

Fotos: 1a – 2c – 3b – 4b – 5a – 6c
Antworten: 2b – 3e – 4c – 5a – 6f

Ü 2

b)
Vorname: Marta
Straße, Nr.: Vogelweg 5; PLZ/Ort: 77656 Offenburg
Geburtsdatum: 13.4.1971
Familienstand: geschieden
Nationalität: argentinisch
Beruf: Krankenschwester
Telefon privat: 06348 / 888654; geschäftlich: –
E-Mail: em-marta@gmx.de
Datum: 8.6.2007

Ü 3

Richtig: 2 – 4

Ü 4

von oben nach unten: 3 – 1 – 5 – 7 – 9 – 4 – 10 – 2 – 6 – 8

Ü 5

2. Frau Moll ist oft mit den Nerven am Ende, weil sie sich um ihre 83-jährige Mutter kümmert.
3. In der Familie Surmann gibt es oft Ärger, weil der Vater schon zwei Jahre arbeitslos ist.
4. Sabine hat morgens oft Stress, weil sie auf dem Weg zur Arbeit fast jeden Tag im Stau steht.
5. Herr Uhl ist Versicherungsagent und hat oft Ärger mit der Terminplanung, weil viele Kunden Termine kurzfristig absagen.
6. Frau Bötner ist oft total gestresst, weil ihre Tochter die Hausaufgaben nicht machen will.
7. Als Journalist hat Mark manchmal Stress, weil sein Chef immer alles besser weiß.

Ü 6

Vorschläge
2. Wenn Frau Moll total fertig ist, geht sie mit ihrem Mann ins Kino.
3. Wenn Frau Surmann Ärger mit ihrem Mann hat, geht sie mit den Kindern auf den Spielplatz.
4. Wenn Sabine gestresst ist, hört sie eine schöne CD.
5. Wenn Herr Uhl Stress hat, entspannt er sich bei einem Kreuzworträtsel.
6. Wenn Frau Bötner gestresst ist, telefoniert sie mit ihrer Freundin, die die gleichen Probleme hat.
7. Wenn Mark müde ist, geht er nach der Arbeit ins Fitnessstudio.

Ü 7

2. Sie sollten die Wohnungstür nicht öffnen!
3. Sie sollten nichts unterschreiben!
4. Sie sollten kein Geld geben!
5. Sie sollten die Polizei informieren!

Ü 8

von links nach rechts:
2 – 3 – 5 – 4 – 1

Vorschläge
2. Du solltest / Sie sollten früher zum Bahnhof gehen.
3. Du könntest dir / Sie könnten sich einen besseren Schreibtischstuhl kaufen.
4. Du müsstest / Sie müssten endlich mal zum Frisör gehen.
5. Du solltest / Sie sollten den Wagen in die Werkstatt bringen.

Ü 9

2e – 3d – 4c – 5a

2. Ich möchte einfach gar nichts machen, darum/deshalb/deswegen bleibe ich heute zu Hause.
3. Ich will fit bleiben, darum/deshalb/deswegen mache ich viel Sport.
4. Ich höre gern Musik, darum/deshalb/deswegen gehe ich oft ins Konzert.
5. Ich möchte abnehmen, darum/deshalb/deswegen mache ich eine Diät.

Ü 10

weil – weil – weil – darum/deshalb/deswegen – darum/deshalb/deswegen – weil

Ü 12

1a – 2a – 3b – 4b

Ü 13

a)
2. Lies die Gebrauchsanweisung, …
3. Nimm ein Aspirin.
4. Fangt schon ohne mich an!
5. Holen Sie Herrn Huber um 11.30 Uhr am Bahnhof ab.

b)
1. bitte – 2. doch – 3. doch – 4. mal – 5. bitte

Ü 14

1. lachen – 2. beinflusst – 3. schützen – 4. verlängern – 5. entspannt

Zertifikatstraining

1d – 2a – 3c – 4x – 5e – 6b – 7i – 8h

3 Männer – Frauen – Paare

1 2

a) Foto a: Zeilen 1–7, Foto b: Zeilen 41–47

1 3

a)
1. Hans Ebert
2. Ursula Birkner
3. Emma Löscher
4. Emma Löscher
5. Hans Ebert

2 1

a) Hanna und Peter

b)
1. Wie haben Sie sich kennen gelernt? – 2. Wie lange sind Sie schon zusammen? – 3. Worüber streiten Sie? – 4. Was für Schwierigkeiten und Probleme haben Sie? – 5. Möchten Sie Kinder haben? – 6. Vermissen Sie etwas?

3 2

a)
2. … sich nur am Wochenende zu sehen.
3. … Hausfrau und Mutter zu sein.
4. … zu sein und sich anzupassen.
5. … Fehler (beim Sprechen) zu machen.

b) *Regel*
Der Infinitiv mit *zu* steht oft **am Satzende**. Bei **trennbaren** Verben steht *zu* zwischen dem trennbaren Verbteil und dem Verbstamm.

4 1

b)
Routine: Zeile 24–32
Keine Kommunikation: Zeile 36–39
Negative Kritik: Zeile 32–35

4 2

1. kompliziert – 2. gefühllos – 3. unehrlich – 4. unkritisch – 5. sympathisch – 6. humorvoll, 7. unromantisch – 8. unglücklich – 9. gefährlich – 10. sinnlos

4 4

Lorenz – bissfest – immer – verstehen – spinnen – lang – kochen – wie – Packung – sieben – kurz – Minuten – Gefühl – kleben

5 1

1. Aurélie kommt nicht aus Deutschland, vielleicht aus Frankreich. – 2. Aurélie wartet darauf, dass jemand sich in sie verliebt. – 3. Das klappt nicht, weil sie die deutschen Männer nicht versteht und nicht merkt, dass sie Interesse haben.

Ü 1

a)
2. Kinderbetreuung – 3. Familienbericht – 4. Hausarbeit

b)
Richtig: 1 – 2 – 5 – 7 – 8
Korrektur der falschen Sätze:
3. Britische Frauen verbringen **mehr** Zeit mit ihren Kindern als finische Männer.
4. **Britische** Männer verbringen mit **333** Minuten die meiste Zeit im Job.
6. Finnische Frauen verbringen **weniger** Zeit mit Erwerbstätigkeit als schwedische Frauen.

c)
mehr – weniger – am meisten – viel – am wenigsten

Ü 2

a)
2. Himmelsrichtungen
3. Umgebung
4. Orientierungssinn
5. Geschlechter
6. Wissenschaftler/in

b)
„Männer und Frauen haben unterschiedliche Orientierungsstrategien"

c)
von oben nach unten: 2 – 5 – 1 – 4 – 6 – 3

Ü 3

a)
+: Paul, Susan
–: Roman, Siri, Wolfgang, Herta

b) 2e – 3f – 4a – 5c – 6d

Ü 4

a)
Zustimmung: Na klar! – Da haben Sie Recht. – Ich bin ganz Ihrer Meinung. – Finde ich auch.
Widerspruch: Da stimme ich dir nicht zu. – Das kann man so nicht sehen. – Das stimmt doch nicht. – Da bin ich mir nicht sicher. – Das ist nicht richtig.

b)
Vorschläge
Es stimmt doch nicht, dass Männer klüger sind als Frauen.
Frauen sind lustiger als Männer. Finde ich auch.
Ich bin ganz Ihrer Meinung. Jeder möchte einen Partner haben.
Frauen leben gesünder als Männer? Da bin ich mir nicht sicher.

Ü 5

a) *Richtig:* 2 – 5

b)
3. Ursula, die älteste Tochter, ist Ärztin.
4. Gerthold hat vor der Rente zum Schlosser umgeschult.
6. Gerthold kocht nie für seine Frau.

Ü 6

a) 1b – 4a – 5d – 6c – 8b

b)
2. Männer versuchen, Karriere zu machen.
3. Männer versuchen, den Wocheneinkauf zu erledigen.
4. Männer versuchen, täglich zu trainieren.
5. Männer versuchen, auf die Kinder aufzupassen.
6. Männer versuchen, bei der Geburt zu helfen.
7. Männer versuchen, Gefühle zu zeigen.
8. Männer versuchen, ein leckeres Menü zu kochen.

Ü 7

Vorschläge
Carlos hat nie Zeit, das Kind zum Klavierunterricht zu fahren.
Carlos hat nie Lust, mir zuzuhören.
Carlos hat kein Interesse, mir im Haushalt zu helfen.
Carlos vergisst oft, den Müll wegzubringen.
Petra hat nie Lust, Sport zu machen.
Petra vergisst ständig, abzuwaschen.
Petra hat kein Interesse, offen zu reden.
Petra hat nie Zeit, abends wegzugehen.

Ü 8

2. Es ist schwer, in eine neue Stadt umzuziehen und neue Leute kennen zu lernen.
3. Es ist unmöglich, alles zu wissen.
4. Es ist gefährlich, pro Tag 20 Zigaretten zu rauchen.
5. Es ist leicht, einen Termin per SMS zu vereinbaren.
6. Es ist interessant, eine neue Sprache zu lernen.

Ü 9

a) *Richtig:* 1 – 4 – 5

b)
Vorschlag
Sie denkt, dass sie ein humorvoller Mensch ist. Sie sagt, dass sie gern lacht und romantisch ist. Sie erzählt, dass sie ein Abendessen bei Kerzenlicht mit schöner Musik klasse findet. Sie sagt auch, dass sie viel arbeitet, aber am Wochenende etwas mit ihren Freunden unternimmt. Ihre Freunde sagen, dass sie ein gefühlvoller und netter Mensch ist. Sie will, dass ihr Freund ehrlich und unsportlich ist. Sie sagt, dass sie ihr Auto liebt und Sport hasst.

Ü 10

a)
die zweite Anzeige

b)
humorvoll – humorlos, unkompliziert – kompliziert, sympathisch – unsympathisch, unglücklich – glücklich, romantisch – unromantisch, breit – schmal, ehrlich – unehrlich, nett – nicht nett, attraktiv – unattraktiv, wenig – viel, schlank – dick, gefühlvoll – gefühllos, ruhig – unruhig

Ü 12

a)
bequem – nett – sicher – effektiv – erfolgreich – humorvoll – ruhig – unruhig – zärtlich – hässlich – fröhlich – östlich – gefühlvoll – glücklich

Zertifikatstraining

1h – 2d – 3e – 4a

4 Deutschlands größte Stadt

1 2

1a – 3f – 4e – 5e – 7c – 8h

1 3

c – e – f – i

2 1

b) c – a – d – b

c)
1. Zeile 6 – 8 – 2. Zeile 30 – 41 – 3. Zeile 61 – 63

2 3

a) Frührente – b) der wirtschaftliche Aufschwung – c) Stahlwerk – d) Medien, Bildung und Handel – e) Fußballmannschaften

3 2

Tanja: d – Marco: c

3 3

a)
Die Berufsgenossenschaft ist eine gesetzliche Unfallversicherung für Arbeitnehmer.

3 4

Richtig: 2 – 3

4 2

1. freundlicher – 2. sonniges – 3. lange
Vorschläge: 4. kurze Pause – 5. unfreundlicher Chef – 6. stressige Tage

4 3

2. freien: Sg. / m. / Akk. / best. Artikel
3. ganze: Sg. / f. / Akk. / best. Artikel
4. beliebteste: Sg. / n. / Nom. / best. Artikel
5. kleinen: Sg. / m. / Gen. / best. Artikel
6. alten: Sg. / n. / Dat. / best. Artikel
7. schwerer: Sg. / m. / Akk. / ohne Artikel

4 4

vgl. Grammatik auf einen Blick, Nr. 15.2

4 6

Dortmund – Kirche – Gurken – täglich – weg – Bergbau – Vater – gefallen – groß – Bude – Horst – kriegte

4 7

die Häuser – die Häuschen
das Bier – das Bierchen
der Schrebergarten – das Schrebergärtchen

Ü 1

1a die Kohle – 2 *(kein Foto)* der Pott – 3c das Bergwerk / die Zeche – 4b der Kumpel – 5 *(kein Foto)* der Schrebergarten

Ü 2

a)
Bochum, Recklinghausen

b)
Bochum
Einwohner: 382 000 – *Lage:* nördlich der Ruhr, zwischen Essen und Dortmund – *Verkehr:* Bahn: 60 Intercitys täglich, ICE – *Kultur:* Theaterhalle – Musical „Starlight Express" auf Deutsch, das Deutsche Bergbau-Museum

Recklinghausen
Einwohner: 120 000 – *Lage:* im Norden, nördlich von Herne zwischen dem Rhein-Herne-Kanal und dem Wesel-Datteln-Kanal – *Verkehr:* zwei der wichtigsten Autobahnen – *Kultur:* Ruhrfestspiele

Ü 3

a)
4 ein Mensch, der nicht reich ist – 5 ein kleines Häuschen im Garten – 2 ein Stück Land – 3 Essen und Trinken

b)
Foto a: 1–3 – Foto b: 7–11 – Foto c: 12–14

c)
von oben nach unten: 2 – 1 – 3 – 5 – 4

Ü 4

a)
früher: 1 – 5 – 7 – 8 – 10 – 12
heute: 2 – 3 – 4 – 6 – 9 – 11

b)
2. Früher war Dortmund ein kleines Dörfchen. Heute ist Dortmund eine Großstadt.
3. Früher arbeiteten Kinder im Bergbau. Heute ist Kinderarbeit verboten.
4. Früher wurde im Ruhrgebiet viel Kohle abgebaut. Heute gibt es nur noch wenige aktive Zechen.
5. Früher passierten jeden Tag schwere Unfälle. Heute wird viel für die Gesundheit der Arbeiter getan.
6. Früher arbeiteten fast alle Menschen im Pott im Bergbau oder in der Stahlindustrie. Heute arbeiten über 60 % der Menschen im Dienstleistungsbereich.

Ü 5

a)
a die Fans, der Schal, die Fahne – b das Stadion, der Fußballspieler, der Rasen

b)
die Vereinsmitglieder – die Einwanderer im Ruhrgebiet – die Bundesliga – die Nationalität der Spieler des FC Schalke 04

c)
1 – 2 – 3 – 7

Ü 6

b)
Name – Unfallort – Alter – Telefonnummer – Adresse – Zahl der Verletzten – Art der Verletzung

Ü 7

1. viel – 2. schwach – 3. selten – 4. unwichtig – 5. teuer – 6. krank – 7. schwer – 8. spät – 9. groß – 10. hässlich

Ü 8

a)
34-jährig**e** – täglich**en** – neu**en** – tragisch**e** – jung**e** – ander**en** – entfernt**e**

b)
47-jährig**e** – groß**en** – alt**en** – schwer**es** – leicht**en** – tief**en**

Ü 9

2. ungesunde – 3. schlechte – 4. lange – 5. vielen – 6. grüne – 7. breites – 8. aktive – 9. modernen – 10. schwere

Ü 10

a)
1. nette – 2. 26-jähriger – 3. verrückten – 4. überraschten – 5. jungen – 6. letzten – 7. kleinen – 8. großes

b)
1. 26-jähriger – 2. überraschten – 3. großes – 4. jungen – 5. verrückten – 6. kleinen – 7. nette – 8. letzten

Ü 11

In einem Haus am Wald wohnt ein Mann. Er hat einen Garten mit einem Apfelbaum, in dem eine Taube wohnt. Und er hat eine Katze, die gerne mit Mäusen spielt. Abends sitzt der Mann an seinem Gartentisch und trinkt ein oder zwei Bier. Samstag kommt seine Mutter und kocht ihm eine Suppe.

Zertifikatstraining

1c – 2l – 3f – 4h – 5j – 6i – 7k – 8g – 9n – 10a

5 Schule und lernen

1 1

6 – 4 – 6. – 9. – 10 – 12.

1 2

3 Jahre alt: Kindergarten – 6 Jahre alt: Grundschule – 1999–2001: Gymnasium – ab 2001: Realschule – 16 Jahre alt: Gymnasium

2 2

b)
Schulbeginn: 8.15 Uhr – *Lieblingsfach:* Sport und Englisch – *unbeliebtes Fach:* Deutsch – *Noten:* sehr gut in fast allen Fächern

2 4

a)
a) die Sekretärin – b) der Hausmeister – d) der Musiklehrer

b)
Paul Hübchen: Heizung überwachen, Glühbirnen wechseln, kaputte Stühle reparieren, sich um die Kopiergeräte kümmern, mittags Brötchen und Getränke im Kiosk verkaufen, im Winter Schnee räumen, zu Weihnachten den Weihnachtsbaum aufstellen. / *Foto b*

Cornelia Altmann: Schüler beraten und mit ihnen, Eltern und Lehrern nach Lösungen für Probleme suchen, Schülern bei der Berufswahl helfen, Arbeitsgemeinschaften leiten. / *Foto c*

3 1

Ich habe keinen Kollegen in der Klasse.
Die Schüler halten ihre Klassenräume nicht selbst sauber.
Die Schüler machen die Hausaufgaben nicht.

3 4

a) *Regel*
Den Konjunktiv II (Präsens) der meisten Verben bildet man mit ***würde*** + **Infinitiv**.

b) *vgl. Grammatik auf einen Blick, Nr. 23*

3 5

1. hätte – 2. könnte – 3. wüsste – 4. wären – 5. wäre

3 6

Vorschläge
1. Wenn ich zaubern könnte, würde ich mich klug wie Einstein zaubern.
2. Wenn ich eine Million im Lotto gewinnen würde, könnte ich mir ein Schloss kaufen.
3. Wenn ich drei Monate Urlaub hätte, würde ich eine Weltreise machen.
4. Wenn ich die deutsche Sprache verändern könnte, würde ich die Adjektivdeklination verbieten.
5. Wenn ich 20 Jahre jünger wäre, würde ich noch in den Kindergarten gehen.
6. Wenn ich König wäre, würde ich Kriege verbieten.

3 7

a) 1. wäre – 2. würde – 3. wusste – 4. hätte – 5. konnte – 6. müsste

4 2

a)
2. die – 3. dem – 4. das – 5. denen – 6. den / dem / dem – 7. die

b)
vgl. Grammatik auf einen Blick, Nr. 14.2

4 3

a)
Hefte, Bleistifte, eine Schultasche, ein Zeugnis, eine Tafel, eine Schultüte

Ü 1

a) 5 – 2

b) 1c – 2e – 3f – 4b – 5g – 6d – 7a

Ü 2

a)
Michaela: Realschulabschluss – Cemal: Abitur – Jan: Hauptschulabschluss

b)
1. Michaela – 2. Cemal – 3. Jan – 6. Cemal – 4. Jan – 5. Michaela

Ü 3

2. Biologie – 3. Musik – 4. Mathematik – 5. Deutsch

Ü 4

Vorschläge
2. Wann hat Lennart Sport? Am Mittwoch in der ersten und zweiten Stunde.
3. Wann hat Lennart Musik? Am Montag in der ersten Stunde.
4. Wann hat Lennart Politik? Am Dienstag in der fünften und sechsten Stunde.
5. Wann hat Lennart Englisch? Am Montag in der vierten Stunde und am Dienstag und Samstag in der dritten Stunde.
6. Wann hat Lennart Latein? Am Montag und Dienstag in der zweiten Stunde und am Donnerstag in der dritten Stunde.

Ü 5

a)
1. beim Sport – 2. in der Pause – 3. in der Mathestunde – 4. im Chemieunterricht

b)
Vorschläge
beim Sport: turnen, laufen, springen, Fußball spielen ...
in der Pause: Brötchen kaufen, spielen, sich unterhalten, Hausaufgaben machen ...
in der Mathestunde: rechnen, an die Tafel schreiben, lesen, schreiben ...
im Chemieunterricht: lernen, lesen, etwas untersuchen ...

Ü 6

a) 2 – 6 – 5 – 1 – 3

b)
Richtig: 1 – 5 – 6
Korrektur der falschen Sätze:
2. Die Schüler sind oft unvorbereitet.
3. Die Deutschstunde lief nicht gut, weil nur etwa die Hälfte der Klasse das Buch mitgebracht hat. / weil nur 10 bis 12 Schüler meine Fragen zu den beiden Texten beantworten konnten.
4. Ich lasse einen der Schüler, die die Texte gelesen haben, den Inhalt zusammenfassen.

Ü 7

a)
Schüler/in: keine Hausaufgaben haben – lustigere Lehrer haben – nur gute Noten haben – nettere Mitschüler haben
Lehrer/in: in den Klassenzimmern ruhiger sein – Eltern mehr mit der Schule zusammenarbeiten – mehr Zeit für die einzelnen Schüler haben – nettere Kollegen haben –weniger Korrekturen haben

b)
Schülerin:
Ich wünschte, wir hätten keine Hausaufgaben.
Ich wünschte, wir hätten lustigere Lehrer.
Ich wünschte, ich hätte nur gute Noten.
Ich wünschte, ich hätte nettere Mitschüler.
Lehrer:
Ich wünschte, in den Klassenzimmern wäre es ruhiger.
Ich wünschte, Eltern würden mehr mit der Schule zusammenarbeiten.
Ich wünschte, ich hätte mehr Zeit für die einzelnen Schüler.
Ich wünschte, ich hätte nettere Kollegen.
Ich wünschte, ich hätte weniger Korrekturen.

c)
Es wäre schön, wenn wir keine Hausaufgaben hätten.
Es wäre schön, wenn wir lustigere Lehrer hätten.
Es wäre schön, wenn ich nur gute Noten hätte.
Es wäre schön, wenn ich nettere Mitschüler hätte.
Es wäre schön, wenn in den Klassen nicht so viele Schüler wären.
Es wäre schön, wenn es in den Klassenzimmern ruhiger wäre.

Es wäre schön, wenn Eltern mehr mit der Schule zusammenarbeiten würden.
Es wäre schön, wenn ich mehr Zeit für die einzelnen Schüler hätte.
Es wäre schön, wenn ich nettere Kollegen hätte.
Es wäre schön, wenn ich weniger Korrekturen hätte.

Ü 8

Wenn ich nur wüsste, wo meine Autoschlüssel sind! – Wenn ich nur wüsste, wer morgen zu meiner Party kommt! – Wenn ich nur wüsste, was ich nach der Schule machen soll! – Wenn ich nur wüsste, woher ich das Geld für die Telefonrechnung nehmen soll!

Ü 9

Vorschläge
Wenn ich doch fliegen könnte! – Wenn ich doch ein Auto hätte! – Wenn ich doch reich wäre! – Wenn ich doch im Lotto gewinnen würde! – Wenn ich doch mehr Zeit hätte! – Wenn ich doch nicht verheiratet wäre! – Wenn ich doch Kinder hätte!

Ü 10

1 würde – 2 hätte – 3 würde – 4 würde – 5 würde – 6 wäre – 7 würde – 8 wäre – 9 wäre – 10 hätte

Ü 11

2. Wenn ich einen interessanten Beruf hätte, würde ich gern zur Arbeit gehen.
3. Wenn ich mehr Zeit hätte, würde ich in den Urlaub fahren.
4. Wenn ich mehr lernen würde, hätte ich weniger Probleme in der Schule.
5. Wenn ich einen guten Schulabschluss hätte, würde ich einen guten Job bekommen.

Ü 12

die Ärztin – das Dorf – der Bauer
der Arzt – die Dörfer – die Bäuerin

ängstlich – die Natur – gefährlich – die Wut
die Angst – natürlich – die Gefahr – wütend

der Bäcker – der Schmuck – küssen – der Tänzer
backen – schmücken – der Kuss – tanzen

Ü 13

Vorschläge
C: der Schüler – H: das Heft – U: das Buch – L: der Stundenplan – Z: das Klassenzimmer – E: der Lehrer – I: der Kugelschreiber – T: der Taschenrechner

Ü 14

1. Wir hatten in der Grundschule einen Hausmeister, der immer sehr nett war.
2. Musik und Sport waren die Schulfächer, die ich am liebsten mochte.
3. Kannst du dich noch an Christiane, die in der 7. Klasse neben dir saß, erinnern?
4. Herr Schumann war unser Musiklehrer, dem ich einmal Salz in seinen Kaffee getan habe.
5. Das ist mein Tagebuch, das ich seit der 5. Klasse schreibe.
6. Pilot ist ein Beruf, von dem alle Kinder träumen.

Zertifikatstraining

1R, 2R, 3F, 4F, 5R, 6R, 7F, 8R, 9R, 10F

Station 1

1 1

b)
2a – 3a – 4b – 5a – 6b – 7a – 8b

Reihenfolge a: 3 – 5 – 2 – 7
Reihenfolge b: 1 – 4 – 8 – 6

3 1

Vorschläge
Während Bello frisst, spielt das Kind mit ihm. Während der Vogel singt, sitzt die Katze auf dem Sofa. Während die Frau Musik hört, liegt sie auf dem Sofa.

3 2

1 war – 2 studierte – 3 brach ab – 4 ging – 5 heiratete – 6 holte – 7 gab – 8 fand – 9 beschrieb – 10 starb

3 3

1c – 2a – 3d – 4b
2. Du solltest/könntest/müsstest die Zeitschrift *PC-Welt* kaufen.
3. Du solltest/könntest/müsstest bei der Volkshochschule anrufen.
4. Du solltest/könntest/müsstest mehr Obst und Gemüse essen.

3 4

Vorschlag
Ich liege früher im Bett, darum höre ich das Telefon nicht. Ich höre das Telefon nicht, deshalb erreicht mich meine Freundin Rita nicht. Rita erreicht mich nicht, deswegen gehen wir nicht ins Kino. Wir gehen nicht ins Kino, deshalb liest Rita ein Buch.

3 5

jung**en** – schön**en** – braun**e** – schwarz**en** – pinkfarb**ene** – grün**e** – blond**en** – grün**en** – hässlich**en** – braun**en** – perfekt**e** – grün**e** – schwarz**en** – bunt**e**

4 1

c)
+ Wo ist, verdammt noch mal, die Belegakte hingekommen?! Ich brauche sie heute Nachmittag!
– Wenn Sie ein wenig Ordnung halten würden ...
+ Jetzt sitzen Sie doch nicht da so dämlich auf Ihrem Hintern rum!

4 2

Vorschlag
Wichtig ist, dass Sie sich zuerst zwei Fragen stellen: 1. Wie schütze ich mich? (Wie kann ich da für mich stabil bleiben?) – 2. Was kann ich denn überhaupt tun in der Situation? Wie kann ich dort mit so einem cholerischen Chef umgehen?
Sie sollten nicht grinsen und sich nicht klein machen, den anderen freundlich anschauen. Wenn er eine Pause macht, können Sie ihm Fragen stellen, z. B.: „Was erwarten Sie im Moment von mir?“ oder: „Wie kann ich Ihnen helfen?“ oder: „Wo hatten Sie denn zuletzt diese Unterlage benutzt?“

4 3

1. 30 000 Schüler/innen besuchen diese Kölner Messe an **zwei** Tagen.
2. Auf dieser Messe informieren Unternehmen, Verbände, FHs und **Universitäten** über Berufe.
3. Die großen Firmen **haben** Probleme, die richtigen Bewerber für ihre Ausbildungsplätze zu finden.
4. **Viele** Schüler/innen wissen **noch nicht** genau, was sie wollen.

4 4

1. 106 000 – 2. 44 000 – 3. 900 – 4. 20 – 5. Ausbildung – 6. Master – 7. Industrie – 8. Management – 9. Abitur – 10. 10